육효학총론

편저자 **김도희**

중국에 유학하여 권위있는 대가에게
육효학과 구성학을 배우고 귀국하여 많은 학생을 가르쳤다.
현재는 한국역술인협회 부회장, 한국역리학회 부회장,
죽원역학연구소 소장, 동방대학원대학교 문화교육원의
육효학·구성학 교수로 활동하면서 후진양성에 힘쓰고 있다.

전화번호
011-758-4000

육효학총론

1판 1쇄 인쇄일 | 2009년 3월 6일
1판 1쇄 발행일 | 2009년 3월 16일

발행처 | 삼한출판사
발행인 | 김충호
지은이 | 김도희

신고년월일 | 1975년 10월 18일
신고번호 | 제305-1975-000001호

411-776 경기도 고양시 일산서구 일산동 1654번지
산들마을 304동 2001호

대표전화 (031) 921-0441
팩시밀리 (031) 925-2647

값 26,000원
ISBN 978-89-7460-134-8 03180

신비한 동양철학 · 89

육효학총론

김도희 편저

삼한

■ 머리말

동서고금을 막론하고 사람은 누구나 자신의 미래를 알고 싶어 한
다. 그리고 점(占)에 대한 관심은 대부분 평안하거나 희망적일 때
보다는 힘들거나 불안할 때 더 많이 갖게 마련이다.

서양에서는 점성학(占星學)이 발달하였다. 점성학은 천체(天體)와
인체(人體)로 나누는데 그 바탕에서 주름만 보는 면상학(面相學)
이 생겼고, 다시 관상학(觀相學)으로 계승되었다. 이 외에도 서양에
서는 수상학(手相學)·카드점·타르점·주사위점·막대기점·꿈
해몽·빙의·연금술 등이 있다. 그리고 부적(符籍)은 유적을 발굴
할 때 가장 먼저 발견될 정도로 생활 속에 깊이 침투해 있었다.

한편 동양에서는 비전(秘傳)이라고 할 수 있는 역학(易學)이 발전
하였다. 역학(易學)에는 인학(人學)으로는 명리학(命理學)·인상학
(人相學)·성명학(姓命學)이 있고, 점학(占學)으로는 주역(周易)·
기문(奇門)·육임(六壬)·육효(六爻)·구성(九星)·매화역수(梅花
易數) 등이 있다. 이 외에 복술(卜術)과 무속(巫俗)에 이르기까지
모두 각각의 독특한 방법과 기능을 갖고 있다.

그러면 육효학(六爻學)은 명리학(命理學)이나 인상학(人相學)과
어떻게 다를까. 명리학(命理學)은 년월일시 여덟 글자로 음양오행
(陰陽五行)의 배치와 조화에 따라 운명을 추측하는 것이다. 가령

시기에 따라 일이 된다 안 된다, 편하다 힘들다, 사고 가능성이 많다 적다 등을 보는 것이다. 현대 의학적으로 표현하면 내과에 해당한다고 볼 수 있다. 그리고 인상학(人相學)은 사람의 골격과 체형 등으로 운명을 추측하는 것이다. 가령 수명의 장단과 부귀와 빈천 등을 본다. 현대 의학적으로 표현하면 외과적 의미가 강하다.

그렇다면 육효(六爻)는 무엇인가? 사람이 살다보면 갑자기 문제가 생겨 난감한 경우가 많다. 가령 갑자기 돈을 빌려야 하는데 그 사람이 빌려줄지, 사업이나 동업을 해도 되는지, 부동산은 언제 사고 팔아야 좋은지, 저 사람과 사귀어도 좋은지 등 여러 가지 문제에 부딪힌다. 이럴 때 명쾌한 답을 찾을 수 있는 학문이다. 다시 말해 응급실 역할을 해준다고 보면 된다.

그동안 시중에 나와 있는 육효(六爻)에 관한 책들이 대부분 원서를 그대로 번역해 놓은 것이라 전문가인 필자가 보기에도 지루하며 어렵다는 느낌이 들었다. 그래서 보다 쉽게 공부할 수 있도록 이 책을 출간하게 되었다. 육효(六爻)에 관심이 있는 사람은 누구나 정독한다면 크고 작은 난관들을 사전에 미리 알고 대처할 수 있을 것이라고 믿는다. 모쪼록 육효(六爻)를 배우고자 하는 분들께 많은 도움이 되었으면 한다.

편저자 김도희

제1장. 기초편

제2장. 응용편

제3장. 18문답

제4장. 실전편

제1장. 기초편

1. 역(易)의 발전과정

1. 하도(河圖)

약 5~6,000년 전, 중국 태고의 복희씨(伏羲氏)가 왕으로 있던 시절 황하(黃河)에서 나온 용마(龍馬)의 등에 선모(旋毛 : 가마 모양) 형태로 1에서 10에 이르는 수의 무늬가 있었다.

12쪽 그림으로 설명하면 하단 흰점 1개와 검은점 6개는 1·6(水)이고, 상단의 검은점 2개와 흰점 7개는 2·7(火)이며, 좌측의 흰점 3개와 검은점 8개는 3·8(木)이고, 우측 검은점 4개와 흰점 9개는 4·9(金)이며, 중앙의 흰점 5개와 검은점 10개는 5·10(土)이다. 흰점은 모두 홀수 1·3·5·7·9이고, 검은점은 모두 짝수 2·4·6·8·10으로 되어 있다. 즉 흰점인 홀수는 양(陽)으로 해·하늘·남자를 의미하고, 검은점인 짝수는 음(陰)으로 달·땅·여자를 의미한다.

복희씨(伏羲氏)는 우주의 만물이 1에서 10수 사이에 존재하며, 1에서 5는 우주 안의 수라고 하여 생수(生數)라 하고, 6에서 10까지는 우주 밖의 수라고 하여 성수(成數)라고 구분하였다. 생수(生數)는 내적이며 체(體)라 하고, 성수(成數)는 외적이며 용(用)이라 하

용마하도(龍馬河圖)

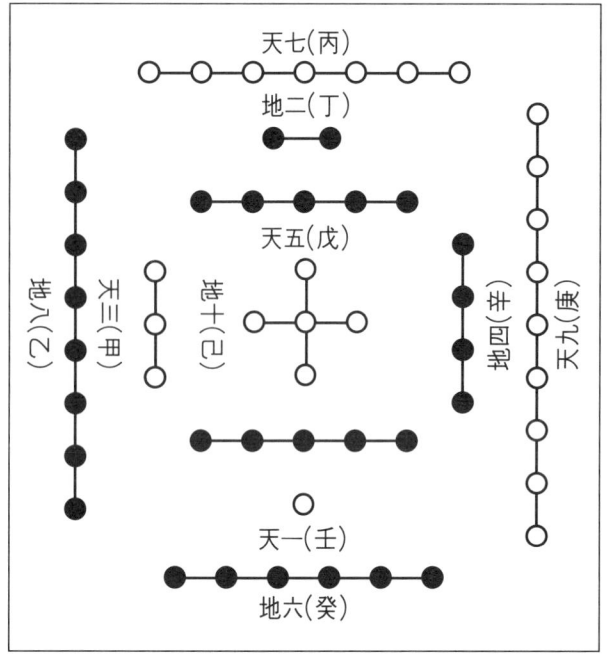

며, 안과 밖으로 나간다 하여 내체외용(內體外用) 또는 내본외말
(內本外末)이라 하였다.

2. 낙서(洛書)

하(夏)나라 우왕(禹王)이 낙(洛)에서 치수공사를 하던 중 거북이
의 등에 45개의 무늬가 구궁(九宮)으로 배열되어 있는 것을 보고
구궁(九宮)의 원리를 해명하여 당시 범람하던 홍수의 피해를 막는
등 치적을 쌓았다. 하도(河圖)가 1에서 10까지라면 낙서(洛書)는 1
에서 9까지로 되어 있다. 그렇다면 10이라는 숫자 하나가 없는 것

신귀낙서(神龜洛書)

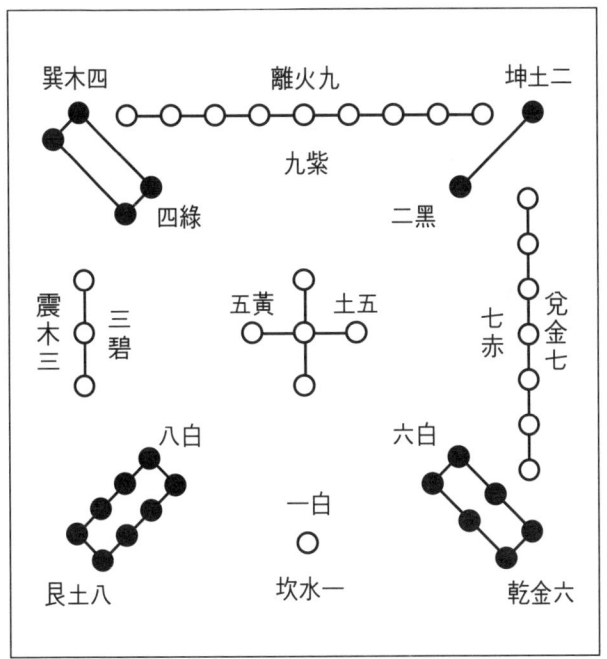

인가 의아하게 생각할지 모른다. 그러나 전혀 걱정할 필요가 없다는 것을 곧 알게 된다.

하도(河圖)가 하늘의 모양을 설명했다면 낙서(洛書)는 땅의 작용을 설명한 것으로, 땅은 토(土)가 모든 것을 주관하고 관장한다. 중앙의 5는 바로 땅의 주체인 토(土)다. 토(土)를 중심으로 사방의 숫자를 더하면 10이 된다. 4와 마주보는 6을 더하면 10이 되고, 3과 마주보는 7을 더해도 10이 된다. 결국은 10이라는 숫자는 눈에 보이지는 않지만 역할은 충분히 다하는 것이다.

복희선천팔괘도(伏羲先天八卦圖)

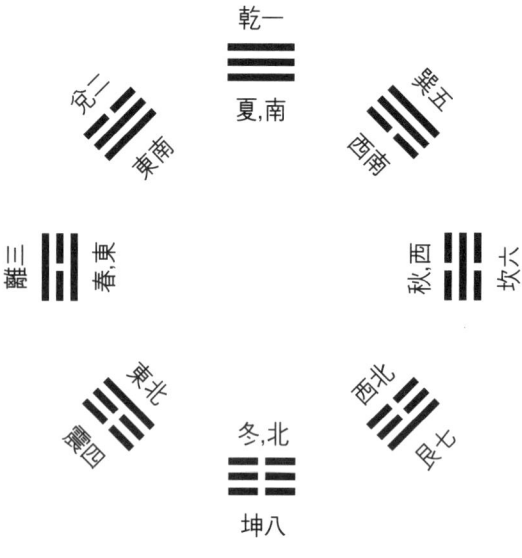

문왕후천팔괘도(文王後天八卦圖)

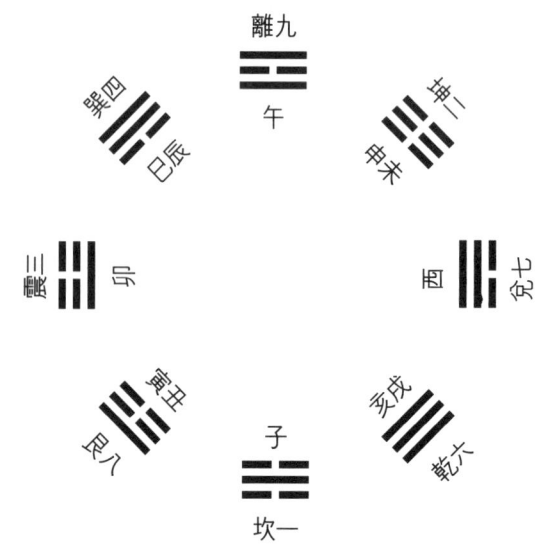

3. 문왕(文王)

주(周)나라 문왕(文王)은 복희씨(伏羲氏)가 천지의 만상을 관찰하며 선천팔괘(先天八卦)를 만든 것을 위치를 바꿔 그렸고, 육십사괘(六十四卦)를 창안하여 괘(卦)마다 괘사(卦辭)를 달아 주역(周易)을 완성하였다. 이것을 문왕(文王)의 후천팔괘(後天八卦)라고 한다.

4. 공자(孔子)

공자(孔子)는 중국 춘추전국시대의 인물이다. 유가(儒家)를 처음으로 세웠고 지식이 깊고 넓었으며 인간사회에 대한 인식이 깊었다. 그런데 왜 운명을 믿었을까? 공자(孔子)는 일찍이 여러 나라를 다니면서 온갖 고생을 하며 자신의 주장을 펼쳤다. 여러 번 실패한 뒤에 비로소 깨달은 것이 그의 나이 오십이 다 되었을 때다. 오십에 천명(天命)을 알고 역(易)을 매우 좋아한 끝에 가죽끈이 3번씩이나 끊어졌다는 위편삼절(韋編三絶)이란 유명한 고사가 생겼다.

유교(儒敎)의 경전이라는 『역경(易經)』은 점(占)을 이론적이며 철학적으로 해석하여 총 7종 10편으로 만든 것이 『십익(十翼)』인데, 이것은 공자(孔子)께서 『십익(十翼)』을 성립시켜 역경(易經)이 성경(聖經)이 된 것이다. 이리하여 역(易)을 대표하는 인물은 복희씨(伏羲氏)와 문왕(文王), 그리고 공자(孔子)를 꼽을 수 있다.

5. 주자(朱子)

송(宋)나라의 주자(朱子)는 주역(周易)의 모든 글에 주(註)를 달아 쉽게 이해할 수 있도록 만들었다. 역(易)의 발전과정을 살펴보면 육효(六爻)는 주역(周易)에서 태어났고, 주역(周易)의 점서적(占書的)인 요소를 가장 충실하게 계승했다고 볼 수 있다. 역대 주역(周易)을 통달했던 주자, 소강절, 서경덕, 토정 이지함 등이 실천했던 방법도 육효(六爻)였다.

공자는 "역(易)이란 무엇인가? 역(易)은 사람이 복서(卜筮)를 통해 길흉(吉凶)을 알고, 일을 이루어 나가도록 하는 원리이니 온 세상의 이치가 그 안에 있을 뿐이다"라고 말하였다.

2 역(易)의 기본원리

1. 간지(干支)

간(干)은 천간(天干) 또는 십간(十干)이라 하고, 지(支)는 지지(地支) 또는 십이지(十二支)라고 한다.

十干	甲	乙	丙	丁	戊	己	庚	申	壬	癸
陰陽	陽	陰	陽	陰	陽	陰	陽	陰	陽	陰
五行	①	②	③	④	⑤	⑥	⑦	⑧	⑨	⑩

① ③ ⑤ ⑦ ⑨의 홀수는 모두 양(陽)이고 ② ④ ⑥ ⑧ ⑩의 짝수는 모두 음(陰)이다. 양(陽) 천간(天干)을 양간(陽干)이라 하고, 음(陰) 천간(天干)을 음간(陰干)이라 한다.

十二支	子	丑	寅	卯	辰	巳	午	未	申	酉	戌	亥
陰陽	陽	陰	陽	陰	陽	陰	陽	陰	陽	陰	陽	陰
五行	①	②	③	④	⑤	⑥	⑦	⑧	⑨	⑩	⑪	⑪

①③⑤⑦⑨⑪은 양(陽), ②④⑥⑧⑩⑫는 음(陰)이다. 십간(十干)과 십이지(十二支)의 음양(陰陽)을 쉽게 구분하려면 홀수는 모두 양(陽)으로 보고, 짝수는 모두 음(陰)으로 보면 된다.

2. 음양오행(陰陽五行)

『주역(周易)』「계사전(繫辭傳)」에 이르기를 역(易)에는 태극(太極)이 있고, 태극(太極)은 양의(兩儀)를 낳았다고 하였다. 이 양의(兩儀)에는 음양(陰陽)이라는 의미가 함축되어 있다. 세상의 사물은 모두 음양(陰陽)으로 나뉜다. 해와 달, 낮과 밤, 밝음과 어둠, 남자와 여자, 강함과 부드러움, 차가움과 따뜻함, 소극과 능동, 비관과 낙관 등 서로 음양(陰陽)의 관계를 갖고 있다.

『황제내경(黃帝內經)』에서는 양(陽)이 음(陰)이 되고, 음(陰)이 양(陽)을 담고 있다고 하였다. 아침에서 한낮까지는 하늘의 양(陽)인데 양(陽) 중의 양(陽)이고, 한낮에서 해질녘까지는 하늘의 양(陽)이나 양(陽) 중의 음(陰)이고, 저녁에서 한밤중까지는 하늘의 음(陰)인데 음(陰) 중의 음(陰)이고, 한밤중에서 동틀녘까지는 하늘의 음(陰)이나 음(陰) 중의 양(陽)이라고 하였다. 이처럼 음양(陰陽)은 각각 독립된 것 같으나 상황에 따라 변화·대립·공유하면서 질서있게 조화를 이루는 것이다.

그렇다면 오행(五行)은 음양(陰陽)과 어떻게 다를까? 음양(陰陽)이 표면적으로 나타나는 현상이며 외적인 성질을 갖고 있다면 오행(五行)은 내부적인 요소들이 담긴 내적인 작용을 하므로 음양(陰陽)보다 훨씬 더 구체적이며 세부적이라고 볼 수 있다. 오행(五行)은 나무·불·흙·쇠·물 5가지를 말하며, 이것을 목(木)·화(火)·토(土)·금(金)·수(水)라고 하는 것이다.

1) 상생(相生)

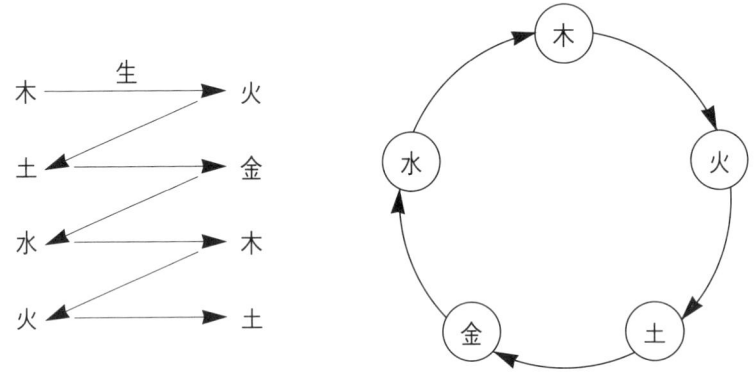

① 목생화(木生火) : 목(木)이 화(火)를 생(生)하는 것은 화(火)가 따뜻한 목(木)에 숨어 있다 부딪쳐 태우기 때문이다.

② 화생토(火生土) : 화(火)가 토(土)를 생(生)하는 것은 뜨거운 화(火)가 목(木)을 태워 재로 만들기 때문이다.

③ 토생금(土生金) : 토(土)가 금(金)을 생(生)하는 것은 토(土)가

모이면 산을 이루어 광물을 만들기 때문이다.

④ 금생수(金生水) : 금(金)이 수(水)를 생(生)하는 것은 금(金)이
부식되면 녹아 물이 되기 때문이다.

⑤ 수생목(水生木) : 수(水)가 목(木)을 생(生)하는 것은 물의 양
분으로 나무가 자라기 때문이다.

2) 상극(相剋)

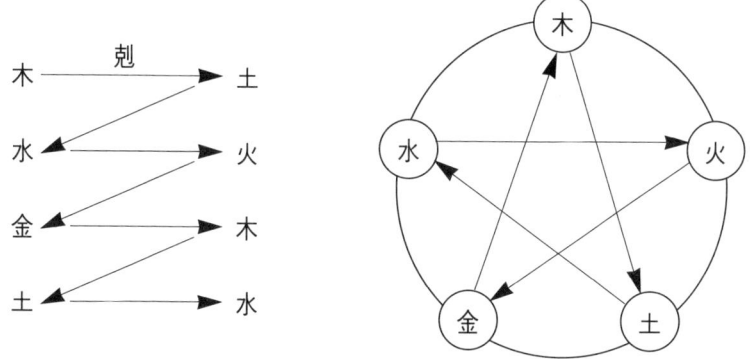

① 목극토(木剋土) : 목(木)이 토(土)를 극(剋)하는 것은 나무가
단단한 땅을 누르고 자라기 때문이다.

② 토극수(土剋水) : 토(土)가 수(水)를 극(剋)하는 것은 흙이 물
을 막아 흡수해 버리기 때문이다.

③ 수극화(水剋火) : 수(水)가 화(火)를 극(剋)하는 것은 물이 타
오르는 불을 끄기 때문이다.

④ 화극금(火剋金) : 화(火)가 금(金)을 극(剋)하는 것은 불이 쇠

를 넣으면 녹여버리기 때문이다.

⑤ 금극목(金剋木) : 금(金)이 목(木)을 극(剋)하는 것은 쇠도끼로 나무를 베어 쓰러트리기 때문이다.

왜 하나를 건너뛰면 상극(相剋)하는 것일까? 오행(五行)이 서로 극(剋)하는 것은 천지의 이치다. 많은 것이 적은 것을 이기므로 수(水)가 화(火)를 극(剋)하는 것이고, 정지한 것이 단단한 것을 이기므로 화(火)가 금(金)을 극(剋)하는 것이고, 굳센 것이 부드러운 것을 이기므로 금(金)이 목(木)을 극(剋)하는 것이고, 단단한 것이 흩어진 것을 이기므로 목(木)이 토(土)를 극(剋)하는 것이고, 알찬 것이 빈 것을 이기므로 토(土)가 수(水)를 극(剋)하는 것이다.

3. 비화(比和)

같은 오행(五行)끼리 만나는 것을 말한다. 목(木)이 목(木)을 만나고, 화(火)가 화(火)를 만나고, 토(土)가 토(土)를 만나고, 금(金)이 금(金)을 만나고, 수(水)가 수(水)를 만나는 것이다. 예를 들면 노동자가 노동조합을 만들면 비화(比和)가 되어 힘이 강해지고, 개인별로 이익을 취하는 일은 나누어 가지므로 힘이 약해진다.

4. 납음오행(納音五行)

납음오행(納音五行)은 육십화갑자(六十化甲子)라고도 하는데 갑자(甲子)에서 계해(癸亥)까지 2개의 간지(干支)를 묶거나 오행(五

行)을 묶기도 한다. 생극(生剋)과 비화(比和)를 따져 궁합(宮合)과
음양택(陰陽澤), 택일(澤日)에 적용하기도 한다.

육십갑자(六十甲子)와 납음오행(納音五行)

甲子旬中		甲戌旬中		甲申旬中		甲午旬中		甲辰旬中		甲寅旬中	
甲子	海中金	甲戌	山頭火	甲申	泉中水	甲午	沙中金	甲辰	覆燈火	甲寅	大溪水
乙丑		乙亥		乙酉		乙未		乙巳		乙卯	
丙寅	爐中火	丙子	潤下水	丙戌	屋上土	丙申	山下火	丙午	天河水	丙辰	沙中土
丁卯		丁丑		丁亥		丁酉		丁未		丁巳	
戊辰	大林木	戊寅	城頭土	戊子	霹靂火	戊戌	平地木	戊申	大驛土	戊午	天上火
己巳		己卯		己丑		己亥		己酉		己未	
庚午	路傍土	庚辰	白鑞金	庚寅	松柏木	庚子	壁上土	庚戌	釵釧金	庚申	石榴木
辛未		辛巳		辛卯		辛丑		辛亥		辛酉	
壬申	劍鋒金	壬午	楊柳木	壬辰	長流水	壬寅	金箔金	壬子	桑柘木	壬戌	大海水
癸酉		癸未		癸巳		癸卯		癸丑		癸亥	

5. 간합(干合)과 합화(合化)

甲己合土	乙庚合金	丙申合水	丁壬合木	戊癸合火

① 갑기합(甲己合) → 화토(化土)

② 을경합(乙庚合) → 화금(化金)

③ 병신합(丙辛合) → 화수(化水)

④ 정임합(丁壬合) → 화목(化木)

⑤ 무계합(戊癸合) → 화화(化火)

6. 삼합(三合)과 삼합국(三合局)

亥卯未合木	寅午戌合火	巳酉丑合金	申子辰合水

① 신자진(申子辰) → 수국(水局)

② 사유축(巳酉丑) → 금국(金局)

③ 인오술(寅午戌) → 화국(火局)

④ 해묘미(亥卯未) → 목국(木局)

7. 육합(六合)

子丑合	寅亥合	卯戌合	辰酉合	巳申合	午未合

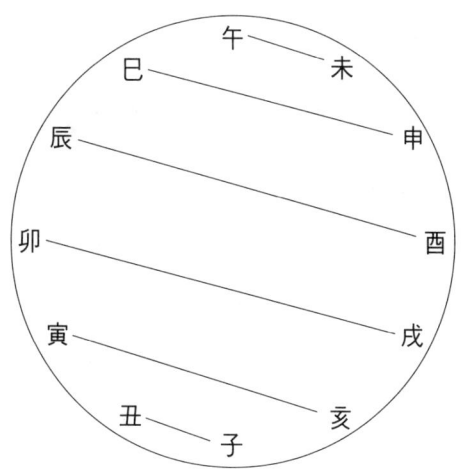

8. 육충(六沖)

子午沖	丑未沖	寅申沖	卯酉沖	辰戌沖	巳亥沖

9. 지지방합(地支方合)

寅卯辰合木	巳午未合火	申酉戌合土	亥子丑合水

① 인묘진(寅卯辰 → 목국(木局) 동방(東方)

② 사오미(巳午未 → 화국(火局) 남방(南方)

② 신유술(申酉戌 → 금국(金局) 서방(西方)

④ 해자축(亥子丑 → 수국(水局) 북방(北方)

10. 삼형(三刑)

寅巳申三刑	丑戌未三刑	子卯三刑

11. 자형(自刑)

酉酉自刑	午午自刑	辰辰自刑	子卯自刑

12. 파(破)

子酉破	寅亥破	丑辰破	卯午破	巳申破	戌未破

13. 해(害)

子未害	丑午害	寅巳害	卯辰害	申亥害	酉戌害

14. 원진(元嗔)

子未元嗔	寅酉元嗔	辰亥元嗔	丑午元嗔	卯申	巳戌元嗔

15. 공망(空亡)

甲子旬	甲子	乙丑	丙寅	丁卯	戊辰	己巳	庚午	辛未	壬申	癸酉	戌亥
甲戌旬	甲戌	乙亥	丙子	丁丑	戊寅	己卯	庚辰	辛巳	壬午	癸未	申酉
甲申旬	甲申	乙酉	丙戌	丁亥	戊子	己丑	庚寅	辛卯	壬辰	癸巳	午未
甲午旬	甲午	乙未	丙申	丁酉	戊戌	己亥	庚子	辛丑	壬寅	癸卯	辰巳
甲辰旬	甲辰	乙巳	丙午	丁未	戊申	己酉	庚戌	辛亥	壬子	癸丑	寅卯
甲寅旬	甲寅	乙卯	丙辰	丁巳	戊午	己未	庚申	辛酉	壬戌	癸亥	子丑

순(旬)은 10이라는 뜻인데 갑자(甲子)에서 계유(癸酉)까지 10이
되기 때문이다. 갑자(甲子)에서 계유(癸酉)까지는 십이지(十二支)
중에 술해(戌亥)가 빠져 공망(空亡)이 된다. 십간(十干)은 10자이
고, 십이지(十二支)는 12자가 되므로 2개의 지지(地支)가 남는다.

16. 천을귀인(天乙貴人)

① 갑무경(甲戊庚) → 축미(丑未)

② 을기(乙己)   → 자신(子申)

③ 병정(丙丁)   → 해유(亥酉)

④ 임계(壬癸)   → 사묘(巳卯)

⑤ 신(辛)   → 오인(午寅)

17. 육친법(六親法)

육친(六親)	음양이 같은 것	음양이 다른 것	비고
생아자(生我者)는 부모(父母)	편인(偏印)	정인(正印)	인성(印星)
아생자(我生者)는 자손(子孫)	식신(食神)	상관(傷官)	식상(食傷)
극아자(剋我者)는 관귀(官鬼)	편관(偏官)	정관(正官)	관성(官星) 칠살(七殺)
아극자(我剋者)는 처재(妻財)	편재(偏財)	정재(正財)	재성(財星)
비화자(比和者)는 형제(兄弟)	비견(比肩)	겁재(劫財)	비겁(比劫)

나(我)를 기준으로 양(陽) 또는 음(陰)인 경우 반대인 음(陰)이 되면 정(正)이 되고, 양(陽)과 양(陽) 혹은 음(陰)과 음(陰)이 되면 편(偏)이 된다. 육효점(六爻占)에서는 정(正)·편(偏)으로 구분하지 않고 부(父)·손(孫)·재(財)·관(官)·형(兄)으로 약칭한다.

육친(六親) 조견표

日柱 天干	甲	乙	丙	丁	戊	己	庚	辛	壬	癸
甲	比肩	劫財	偏印	正印	偏官	正官	偏財	正財	食神	傷官
乙	劫財	比肩	正印	偏印	正官	偏官	正財	偏財	傷官	食神
丙	食神	傷官	比肩	劫財	偏印	正印	偏官	正官	偏財	正財
丁	傷官	食神	劫財	比肩	正印	偏印	正官	偏官	正財	偏財
戊	偏財	正財	食神	傷官	比肩	劫財	偏印	正印	偏官	正官
己	正財	偏財	傷官	食神	劫財	比肩	正印	偏印	正官	偏官
庚	偏官	正官	偏財	正財	食神	傷官	比肩	劫財	偏印	正印
辛	正官	偏官	正財	偏財	傷官	食神	劫財	比肩	正印	偏印
壬	偏印	正印	偏官	正官	偏財	正財	食神	傷官	比肩	劫財
癸	正印	偏印	正官	偏官	正財	偏財	傷官	食神	劫財	比肩

18. 십이운성법(十二運星法)

십이운성법(十二運星法)은 포태법(胞胎法)이라고 한다. 오행(五行)의 왕상휴수사(旺相休囚死)는 계절과 밀접한 관계가 있어 오행(五行)의 어느 하나가 왕(旺)·상(相)·휴(休)·수(囚)·사(死)하는 상태가 된다. 육효점(六爻占)에서는 주로 사절묘(死絶墓)와 왕상휴수(旺相休囚)를 사용한다.

① 절(絶) : 수기(受氣) 또는 포태((胞胎)라고도 하는데 아직 생명이 생기지 않은 상태를 말한다.

② 태(胎) : 어머니의 태반 속에 포태되는 시기를 말한다.

③ 양(養) : 어머니의 뱃속에서 점점 성장하는 시기를 말한다.

④ 장생(長生) : 세상에 처음 태어나는 시기를 말한다.

⑤ 욕(浴) : 패(敗)라고도 하며 태어나 목욕하는 시기를 말한다.

⑥ 대(帶) : 성장하여 관례를 치르고 신분을 표시하는 띠를 두르는 시기를 말한다.

⑦ 관(冠) : 관대를 갖추고 관위에 임하는 시기를 말한다.

⑧ 왕(旺) : 일생 중 가장 성대하며 번창하는 시기를 말한다.

⑨ 쇠(衰) : 절정기를 지나 활동이 점점 감퇴되는 시기를 말한다.

⑩ 병(病) : 체력과 기력이 쇠하여 질병에 걸리는 시기를 말한다.

⑪ 사(死) : 늙고 병들어 죽음에 이르는 시기를 말한다.

⑫ 묘(墓) : 고(庫)라고도 하며 죽어 땅에 묻히는 시기를 말한다.

십이운성(十二運星) 조견표

日干 十二 運星	甲木	乙木	丙火	丁火	庚金	辛金	壬水	癸水
絶	申	酉	亥	子	寅	卯	巳	午
胎	酉	申	子	亥	卯	寅	午	巳
養	戌	未	丑	戌	辰	丑	未	辰
長生	亥	午	寅	酉	巳	子	申	卯
浴	子	巳	卯	申	午	亥	酉	寅
帶	丑	辰	辰	未	未	戌	戌	丑
冠	寅	卯	巳	午	申	酉	亥	子
旺	卯	寅	午	巳	酉	申	子	亥
衰	辰	丑	未	辰	戌	未	丑	戌
病	巳	子	申	卯	亥	午	寅	酉
死	午	亥	酉	寅	子	巳	卯	申
墓	未	戌	戌	丑	丑	辰	辰	未

※ 육효(六爻)에서는 절(絶)·왕(旺)·묘(墓)를 중점적으로 쓴다.

제2장. 응용편

1. 기본구성

팔괘(八卦)의 형상과 의미

無極	우주가 생기기 이전						
太極	우주만물의 본체						
兩儀	陽 ▬▬▬				陰 ▬ ▬		
四象	太陽		少陰		少陽		太陰	
卦爻	☰	☱	☲	☳	☴	☵	☶	☷
순서	1	2	3	4	5	6	7	8
괘명	乾	兌	離	震	巽	坎	艮	坤
자연	天	澤	火	雷	風	水	山	地
인간	父	小女	中女	長男	長女	中男	小男	母
방향	서북	서	남	동	동남	북	북동	남서
오행	金	金	火	木	木	水	土	土
신체	머리	입	눈	발	다리	귀	손	배
동물	말	양	꿩	용	닭	돼지	개	소
성질	강건	기쁨	걸림	움직임	들어감	빠짐	정지	유순

육십사괘(六十四卦) 조견표

上卦 下卦	一乾天	二兌澤	三離火	四震雷	五巽風	六坎水	七艮山	八坤地
一乾天	乾爲天	澤天夬	火天大有	雷天大壯	風天小畜	水天需	山天大畜	地天泰
二兌澤	天澤履	兌爲澤	火澤睽	雷澤歸妹	風澤中孚	水澤節	山澤損	地澤臨
三離火	天火同人	澤火革	離爲火	雷火豊	風火家人	水火旣濟	山火賁	地火明夷
四震雷	天雷无妄	澤雷隨	火雷噬嗑	震爲雷	風雷益	水雷屯	山雷頤	地雷復
五巽風	天風姤	澤風大過	火風鼎	雷風恒	巽爲風	水風井	山風蠱	地風升
六坎水	天水訟	澤水困	火水未濟	雷水解	風水渙	坎爲水	山水蒙	地水師
七艮山	天山遯	澤山咸	火山旅	雷山小過	風山漸	水山蹇	艮爲山	地山謙
八坤地	天地否	澤地萃	火地晋	雷地豫	風地觀	水地比	山地剝	坤爲地

■ 건금궁(乾金宮)

<table>
<tr><td colspan="2">

건위천(乾爲天)

父戌	——	世
兄申	——	
官午	——	
父辰	——	應
財寅	——	
孫子	——	

</td><td colspan="2">

천풍구(天風姤)

父戌	——		
兄申	——		
官午	——	應身	
兄酉	——		
孫亥	——		伏寅財
父丑	——	世	

</td></tr>
</table>

천산돈(天山豚)

父戌	——		
兄申	——	應	
官午	——		
兄申	——		
官午	——	世	伏寅財
父辰	——		伏子孫

천지부(天地否)

父戌	——	應	
兄申	——	身	
官午	——		
財卯	——	世	
官巳	——		
父未	——		伏子孫

풍지관(風地觀)

財 卯 ——
官 巳 ——　　　　　伏申兄
父 未 —— 世
財 卯 — —
官 巳 — —
父 未 — — 應　　　伏子孫

산지박(山地剝)

財 寅 ——
孫 子 — — 世　　　伏申兄
父 戌 — — 身
財 卯 — —
官 巳 — — 應
父 未 — —

화지진(火地晋)

官 巳 ——
父 未 — —
兄 酉 —— 世
財 卯 — — 身
官 巳 — —
父 未 — — 應　　　伏子孫

화천대유(火天大有)

官 巳 —— 應
父 未 — —
兄 酉 ——
父 辰 —— 世
財 寅 —— 身
孫 子 ——

■ 태금궁(兌金宮)

태위택(兌爲澤)
父未 ── ── 世
兄酉 ────
孫亥 ──── 身
父丑 ── ── 應
財卯 ────
官巳 ────

택수곤(澤水困)
父未 ── ──
兄酉 ────
孫亥 ──── 應
官午 ── ── 身
父辰 ────
財寅 ── ── 世

택지췌(澤地萃)
父未 ── ── 身
兄酉 ──── 應
孫亥 ────
財卯 ── ──
官巳 ── ── 世
父未 ── ── 身

택산함(澤山咸)
父未 ── ── 應
兄酉 ────
孫亥 ────
兄申 ──── 世
官午 ── ──　　　　伏卯財
父辰 ── ──

수산건(水山蹇)

```
孫子 ― ―
父戌 ――          伏身
兄申 ― ― 世
兄申 ――
官午 ― ―          伏卯財
父辰 ― ― 應
```

지산겸(地山謙)

```
兄酉 ― ―
孫亥 ― ― 世
父丑 ― ―
兄申 ――
官午 ― ― 應      伏卯財
父辰 ― ―
```

뇌산소과(雷山小過)

```
父戌 ― ―
兄申 ― ―
官午 ―― 世
兄申 ――
官午 ― ―          伏身
                  伏卯財
父辰 ― ― 應
```

뇌택귀매(雷澤歸妹)

```
官戌 ― ― 應
兄申 ― ― 身      伏亥孫
官午 ――
父丑 ― ― 世
財卯 ――
官巳 ――
```

■ 이화궁(離火宮)

이위화(離爲火)

兄巳 ▬▬ 世 身

孫未 ▬▬

財酉 ▬▬

官亥 ▬▬ 應

孫丑 ▬▬

父卯 ▬▬

화산려(火山旅)

兄巳 ▬▬

孫未 ▬▬

財酉 ▬▬ 應

財申 ▬▬   伏亥官

兄午 ▬▬ 身

孫辰 ▬▬ 世   伏卯父

화풍정(火風鼎)

兄巳 ▬▬

孫未 ▬▬ 應

財酉 ▬▬

財酉 ▬▬

官亥 ▬▬ 世

孫丑 ▬▬ 身   伏卯父

화수미제(火水未濟)

兄巳 ▬▬ 應

孫未 ▬▬

財酉 ▬▬

兄午 ▬▬ 世   伏亥官

孫辰 ▬▬

父寅 ▬▬

```
┌─────────────────────────────┐
│  산수몽(山水蒙)              │
│                             │
│  父 寅 ━━━━                 │
│  官 子 ━━━━                 │
│  孫 戌 ━━━━ 世    酉제身     │
│  兄 午 ━━━━                 │
│  孫 辰 ━━━━                 │
│  父 寅 ━━━━ 應              │
└─────────────────────────────┘
```

```
┌─────────────────────────────┐
│  풍수환(風水渙)             │
│                             │
│  父 卯 ━━━━                 │
│  兄 巳 ━━━━ 世              │
│  孫 未 ━━━━       伏亥官     │
│  兄 午 ━━━━                 │
│  孫 辰 ━━━━ 應 身           │
│  父 寅 ━━━━       伏身       │
└─────────────────────────────┘
```

```
┌─────────────────────────────┐
│  천수송(天水訟)             │
│                             │
│  孫 戌 ━━━━                 │
│  財 申 ━━━━                 │
│  兄 午 ━━━━ 世              │
│  兄 午 ━━━━       伏亥官     │
│  孫 辰 ━━━━                 │
│  父 寅 ━━━━ 應    伏身       │
└─────────────────────────────┘
```

```
┌─────────────────────────────┐
│  천화동인(天火同人)        │
│                             │
│  孫 戌 ━━━━ 應              │
│  財 申 ━━━━                 │
│  兄 午 ━━━━                 │
│  官 亥 ━━━━ 世              │
│  孫 丑 ━━━━                 │
│  父 卯 ━━━━                 │
└─────────────────────────────┘
```

■ 손목궁(巽木宮)

<table>
<tr><td>

손위풍(巽爲風)

兄卯 ━━━ 世

孫巳 ━━━

財未 ━ ━

官酉 ━━━ 應

父亥 ━━━

財丑 ━ ━

</td><td>

풍천소축(風天小畜)

兄卯 ━━━

孫巳 ━━━

財未 ━ ━ 應

財辰 ━━━   伏酉官

兄寅 ━━━

父子 ━━━ 世 身

</td></tr>
<tr><td>

풍화가인(風火家人)

兄卯 ━━━

孫巳 ━━━ 應

財未 ━ ━ 身

父亥 ━━━   伏酉官

財丑 ━ ━ 世

兄卯 ━━━

</td><td>

풍뢰익(風雷益)

兄卯 ━━━ 應

孫巳 ━━━

財未 ━ ━

財辰 ━ ━ 世   伏酉官

兄寅 ━ ━

父子 ━━━

</td></tr>
</table>

천뢰무망(天雷无妄)

財戌 ——　　　　　伏身

官申 ——

孫午 —— 世

財辰 — —

兄寅 — —

父子 —— 應

화뢰서합(火雷噬嗑)

孫巳 ——

財未 — — 世

官酉 ——

財辰 — —

兄寅 — — 應

父子 ——

산뢰이(山雷頤)

兄寅 ——

父子 — —　　　　伏巳孫

財戌 — — 世

財辰 — — 伏身　伏酉官

兄寅 — —

父子 —— 應

산풍고(山風蠱)

兄寅 —— 應 身

父子 — —　　　　伏巳孫

財戌 — —

官酉 —— 世

父亥 ——

財丑 — —

■ 진목궁(震木宮)

진위뢰(震爲雷)

財 戌 —— 世
官 申 ——
孫 午 ———
財 辰 —— 應
兄 寅 ——
父 子 ———

뇌지예(雷地豫)

財 戌 ——
官 申 ——
孫 午 ——— 應 身
兄 卯 ——
孫 巳 ——
財 未 —— 世   伏子父

뇌수해(雷水解)

財 戌 ——
官 申 —— 應
孫 午 ———
孫 午 ——
財 辰 ——— 世
兄 寅 ——   伏子父

뇌풍항(雷風恒)

財 戌 —— 應
官 申 ——
孫 午 ———
官 酉 ——— 世
父 亥 ——— 伏 身   伏寅兄
財 丑 ——

```
┌─────────────────────────────────┐
│  지풍승(地風升)                    │
│                                   │
│  官 酉 ━ ━  身                    │
│  父 亥 ━ ━                        │
│  財 丑 ━ ━  世      伏午孫         │
│  官 酉 ━━━  身                    │
│  父 亥 ━━━                        │
│  財 丑 ━ ━  應                    │
└─────────────────────────────────┘
```

```
┌─────────────────────────────────┐
│  수풍정(水風井)                    │
│                                   │
│  父 子 ━ ━                        │
│  財 戌 ━━━  世                    │
│  官 申 ━ ━          伏午孫         │
│  官 酉 ━━━          伏身          │
│  父 亥 ━━━  應      伏寅兄         │
│  財 丑 ━ ━                        │
└─────────────────────────────────┘
```

```
┌─────────────────────────────────┐
│  택풍대과(澤風大過)                │
│                                   │
│  財 未 ━ ━                        │
│  官 酉 ━━━                        │
│  父 亥 ━━━  世      伏午孫         │
│  官 酉 ━━━                        │
│  父 亥 ━━━          伏寅兄         │
│  財 丑 ━ ━  應                    │
└─────────────────────────────────┘
```

```
┌─────────────────────────────────┐
│  택뢰수(澤雷隨)                    │
│                                   │
│  財 未 ━ ━  應                    │
│  官 酉 ━━━          伏身          │
│  父 亥 ━━━                        │
│  財 辰 ━ ━  世      伏午孫         │
│  兄 寅 ━ ━                        │
│  父 子 ━━━                        │
└─────────────────────────────────┘
```

■ 감수궁(坎水宮)

감위수(坎爲水)	수택절(水澤節)
兄 子 ▬▬ 世	兄 子 ▬▬ 身
官 戌 ▬▬▬	官 戌 ▬▬▬
父 申 ▬▬	父 申 ▬▬ 應
財 午 ▬▬ 應	官 丑 ▬▬
官 辰 ▬▬▬	卯 孫 ▬▬▬
孫 寅 ▬▬	財 巳 ▬▬▬ 世

수뢰둔(水雷屯)	수화기제(水火旣濟)
兄 子 ▬▬	兄 子 ▬▬ 應
官 戌 ▬▬▬ 應	官 戌 ▬▬▬
父 申 ▬▬	父 申 ▬▬
官 辰 ▬▬ 　　　伏午財	兄 亥 ▬▬▬ 世　　伏午財
孫 寅 ▬▬ 世	官 丑 ▬▬
兄 子 ▬▬▬	孫 卯 ▬▬▬ 　　　伏身

택화혁(澤火革)

官未 – –

父酉 ——

兄亥 —— 世

兄亥 ——　　　　伏午財

官丑 – –

孫卯 —— 應身

뇌화풍(雷火豊)

官戌 – – 身

父申 – – 世

財午 ——

兄亥 ——

官丑 – – 應

孫卯 ——

지화명이(地火明夷)

父酉 – – 身

兄亥 – –

官丑 – – 世

兄亥 ——　　　　伏午財

官丑 – –

卯孫 —— 應

지수사(地水師)

父酉 – – 應

兄亥 – –

官丑 – –　　　　伏身

財午 – – 世

官辰 ——

孫寅 – –

■ 간토궁(艮土宮)

<table>
<tr><td colspan="2">

간위산(艮爲山)

官 寅 ▬▬ 世

財 子 ▬ ▬

兄 戌 ▬ ▬

孫 申 ▬▬ 應

父 午 ▬ ▬

兄 辰 ▬ ▬

</td><td colspan="2">

산화비(山火賁)

官 寅 ▬▬

財 子 ▬ ▬ 身

兄 戌 ▬ ▬ 應

財 亥 ▬▬   伏申孫

兄 丑 ▬ ▬   伏午父

官 卯 ▬▬ 世

</td></tr>
<tr><td colspan="2">

산천소축(山天大畜)

官 寅 ▬▬

財 子 ▬ ▬ 應

兄 戌 ▬ ▬

兄 辰 ▬▬   伏申孫

官 寅 ▬▬ 世   伏午父

財 子 ▬▬

</td><td colspan="2">

산택손(山澤損)

官 寅 ▬▬ 應

財 子 ▬ ▬

兄 戌 ▬ ▬

兄 丑 ▬ ▬ 世   伏申父
                                                 身

官 卯 ▬▬

父 巳 ▬▬

</td></tr>
</table>

화택 규(火澤暌)

父 巳 ——
兄 未 — —　　　伏子財
孫 酉 ——　世
兄 丑 — —
官 卯 ——　身
父 巳 ——　應

천택 이(天澤履)

兄 戌 ——
孫 申 ——　世　伏子財
父 午 ——
兄 丑 — —
官 卯 ——　應
父 巳 ——　　　伏身

풍택 중부(風澤中孚)

官 卯 ——
父 巳 ——　　　伏子財
兄 未 — —　世
兄 丑 — —　　　伏申孫
官 卯 ——
父 巳 ——　應

풍산 점(風山漸)

官 卯 ——　應　伏身
父 巳 ——　　　伏子財
兄 未 ——
孫 申 ——　世
父 午 — —
兄 辰 — —

■ 곤토궁(坤土宮)

<table>
<tr><td colspan="2">

곤위지(坤爲地)

孫 酉 ▬▬ 世
財 亥 ▬▬ 身
兄 丑 ▬▬
官 卯 ▬▬ 應
父 巳 ▬▬
兄 未 ▬▬

</td><td colspan="2">

지뢰복(地雷復)

孫 酉 ▬▬
財 亥 ▬▬
兄 丑 ▬▬ 應
兄 辰 ▬▬
官 寅 ▬▬   伏巳父
財 子 ▬▬▬ 世 身

</td></tr>
<tr><td colspan="2">

지택임(地澤臨)

孫 酉 ▬▬
財 亥 ▬▬ 應
兄 丑 ▬▬ 身
兄 丑 ▬▬ 身
官 卯 ▬▬▬ 世
父 巳 ▬▬▬

</td><td colspan="2">

지천태(地天泰)

孫 酉 ▬▬ 應
財 亥 ▬▬
兄 丑 ▬▬
兄 辰 ▬▬▬ 世
官 寅 ▬▬▬ 身   伏巳父
財 子 ▬▬▬

</td></tr>
</table>

뇌천대장(雷天大壯)

兄 戌 ▬ ▬
孫 申 ▬ ▬
父 午 ▬▬▬ 世
兄 辰 ▬▬▬　　　伏卯身
官 寅 ▬▬▬
財 子 ▬▬▬ 應

택천쾌(澤天決)

兄 未 ▬ ▬
孫 酉 ▬▬▬ 世
財 亥 ▬▬▬
兄 辰 ▬▬▬ 身
官 寅 ▬▬▬ 應　　伏巳父
財 子 ▬▬▬

수천수(水天需)

財 子 ▬▬▬　　　伏身
兄 戌 ▬ ▬
孫 申 ▬ ▬
兄 辰 ▬▬▬
官 寅 ▬▬▬　　　伏巳父
財 子 ▬▬▬

수지비(水地比)

財 子 ▬ ▬ 應
兄 戌 ▬▬▬
孫 申 ▬ ▬ 身
官 卯 ▬ ▬ 世
父 巳 ▬ ▬
兄 未 ▬ ▬

비신납갑법(飛神納甲法)

卦		外卦			內卦			
八卦	宮	六爻	五爻	四爻	三爻	二爻	初爻	天干
一乾天	金	戌	申	午	辰	寅	子	乾金甲子 외 壬午
二兌澤	金	未	酉	亥	丑	卯	巳	兌金丁巳 외 丁亥
三離火	火	巳	未	酉	亥	丑	卯	離火己卯 외 己酉
四震雷	木	戌	申	午	辰	寅	子	震木庚子 외 庚午
五巽風	木	卯	巳	未	酉	亥	丑	巽木辛丑 외 辛未
六坎水	水	子	戌	申	午	辰	寅	坎水戊寅 외 戊申
七艮山	土	寅	子	戌	申	午	辰	艮土丙辰 외 丙戌
八坤地	土	酉	亥	丑	卯	巳	未	坤土乙未 외 癸丑

육신(六神) 붙이는 방법

日辰 〵 爻	初爻	二爻	三爻	四爻	五爻	六爻
甲乙	靑龍	朱雀	句陳	螣蛇	白虎	현무
丙丁	朱雀	句陳	螣蛇	白虎	玄武	靑龍
戊	句陳	螣蛇	白虎	玄武	靑龍	朱雀
己	螣蛇	白虎	玄武	靑龍	朱雀	句陳
庚辛	白虎	玄武	靑龍	朱雀	句陳	螣蛇
壬癸	玄武	靑龍	朱雀	句陳	螣蛇	白虎

2. 작괘법(作卦法)

1. 작괘(作卦)할 때 유의사항

육효(六爻)를 치기 전에 먼저 몸과 마음을 청결하게 하고, 경건한 마음으로 주문을 읽은 뒤 작괘(作卦)에 임해야 한다. 육효(六爻)는 한 가지 일에 한 번만 쳐야 한다. 결과가 나쁘다고 다시 치면 육효신(六爻神)을 시험하거나 모독하는 것이 됨으로 점이 맞지 않는다.

2. 주문

하늘이 어찌 말하리까.

땅이 어찌 말하리까.

오직 복서(卜書)를 통한 신의 영험하심만이

명쾌한 답을 내려주십니다.

당신이 아끼고 사랑하는 ○○생 ○○○는

신도들의 물음에 정확한 답을 구하고자 엎드려 구복하오니

소상히 밝혀 주옵소서(3번 반복한다).

3. 점의 기준

① 목적

② 용신(用神)

③ 날짜(月日)

④ 지성지도(至誠至道)

4. 작괘(作卦)의 종류

작괘(作卦) 방법에는 설시법(揲蓍法), 척전법(擲錢法), 단시법(斷時法), 물상법(物象法), 언어법(言語法) 등이 있다.

1) 설시법(揲蓍法)

① 시초 50개를 두 손에 모아 둘로 나눈다. 오른손에 쥔 것은 음(陰)이며 바닥에 내려놓는 것을 지책(地策)이라고 한다. 이 중에서 1개를 뽑아 왼손 넷째와 다섯째 손가락에 끼우는데 이를 인책(人策)이라 한다. 왼손에 쥔 것은 양(陽)이며 천책(天策)이라 한다. 이것이 천지인(天地人) 삼재(三才)다.

② 왼손에 쥔 천책(天策)을 오른손으로 4개씩 덜어낸다. 이때 4개는 사계절을 의미한다.

③ 왼손의 천책(天策)을 4개씩 덜어내 왼손 둘째 손가락에 끼운다. 4개씩 맞아 떨어지면 4개를 손가락에 꼽는다.

④ 바닥에 놓은 지책(地策)을 다시 4개씩 덜어내 나머지 숫자를 셋째 손가락에 끼운 다음 새끼 손가락, 둘째 손가락, 셋째 손가락에 끼운 것을 모두 합하면 5개나 9개가 된다. 이를 1변이라 하는데 1개의 효(爻)를 얻은 것이다.

⑤ 1변이 끝난 후에 5개나 9개의 시초를 빼버리고 남은 시초를 걸어모아 두 손에 합하면 40이나 44개가 된다. 이것을 1변의 순서와 같이 둘로 나누고, 1개를 걸어두고 4개로 셈하여 덜어내고, 나머지 1개로 합하는 것을 손가락 사이에 끼워져 있는 수는 4개

나 8개가 된다. 2변이 끝난 것이다.

⑥ 처음 1변에서 얻은 5나 9와 2변에서 얻은 4와 8을 빼고 시초를 다시 합하면 40·36·32개가 된다. 이것을 1·2변을 만드는 과정과 같이 똑같이 둘로 나누고 1개를 걸고 4개로 셈하여 덜어내면 그 나머지 1개를 합하는 것을 손가락 사이에 끼워져 있는 수는 2변과 같다. 3변이 끝난 것이다.

⑦ 3변이 끝나면 3변을 합한다. 이는 36·32·28·24가 되는데 이것을 4로 나누면 9·8·7·6이 된다. 9는 노양(老陽), 7은 소양(少陽), 8은 소음(少陰), 6은 노음(老陰)으로 나누어지는데 1개의 효(爻)가 만들어진 것이다.

⑧ 6효는 18변(3변×6효)을 거친 후 괘상(卦象)이 만들어진다

⑨ 1변에서 3변까지에서 4~5개의 무더기는 소수(少數), 8~9개의 무더기는 다수(多數)라 한다.

⑩ 일다양소(一多兩少)는 소음(少陰)으로 ▬ ▬로 표시하고, 일소양다(一少兩多)는 소양(少陽)이니 ▬▬▬로 표시하고, 세 무더기가 소수(少數)이면 노음(老陰)이니 ▬/▬로 표시하는데 양효(陽爻)가 되고, 세 무더기가 모두 다수(多數)이면 노양(老陽)이니 ▬┼▬로 표시하는데 음효(陰爻)가 된다.

2) 척전법(擲錢法)

동전이나 엽전 3개를 한꺼번에 던지되 모두 6번을 던져야 괘상(卦象)이 완성된다. 3개의 동전을 던질 때마다 동전의 숫자와 그림을 보고 각 효(爻)을 만든다.

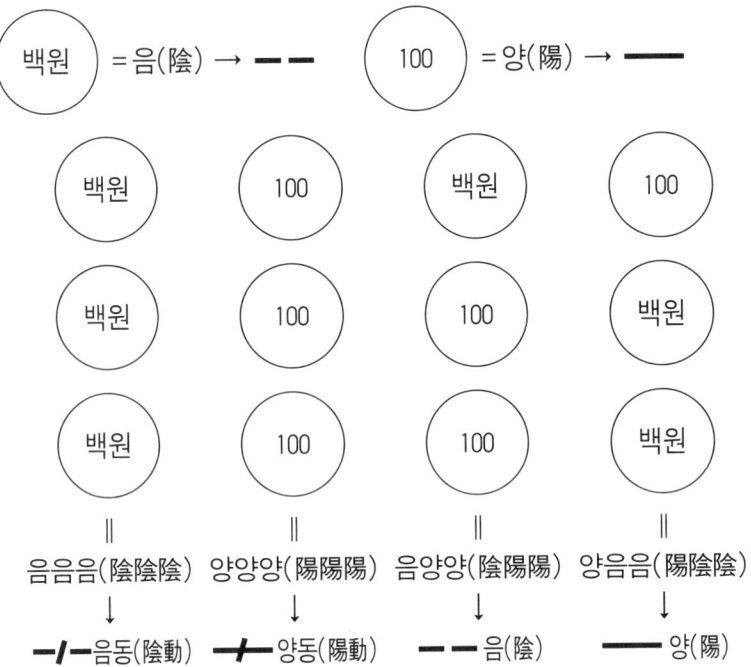

3) 단시법(斷時法)

시간작괘법이라고도 한다. 시간과 분은 8로 나누고, 초는 6으로 나눈다. 예를 들어 지금 시간이 15시 21분 26초이면 다음과 같다.

$$15 \div 8 = 1 \to 7$$
$$21 \div 8 = 2 \to 5$$
$$26 \div 6 = 4 \to 2$$

시간 : 외괘(外卦) → 7

분 : 내괘(內卦) → 5

초 : 동효(動爻) → 2

4) 물상법(物象法)

사물을 보고 괘(卦)를 잡는 방법이다. 옷의 색깔과 단추의 수를 세어 괘를 잡는 방법, 책을 넘기면서 페이지 숫자로 괘를 잡는 방법, 글자를 짚어보라고 하여 그 글자로 괘를 잡는 방법이 있다.

5) 언어법(言語法)

구점인에게 말을 시켜 그 말 수를 세어 8로 나누어 괘를 잡는 방법이다. 시간과 장소에 따라 임의대로 정하여 괘를 잡을 수 있다.

5. 괘(卦)와 효(爻)

괘(卦)는 효(爻)로 구성되어 있다. ━━ 는 양효(陽爻)이고 ━ ━ 는 음효(陰爻)다. 8괘에서는 3개의 효(爻)로 만들어진 것을 소성괘(小成卦)라 하고, 64괘에서는 6개의 효(爻)로 만들어진 것을 대성괘(大成卦)라고 한다.

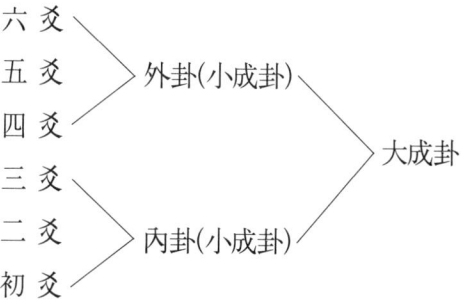

대성괘(大成卦)는 초효·2효·3효·4효·5효·6효 순으로 만드는데, 효(爻)가 모두 6개이므로 육효(六爻)라고 한다.

6. 괘상(卦象)

1) 4대난괘(四大難卦)
① 수뢰둔(水雷屯)

② 감위수(坎爲水

③ 수산건(水山蹇)

④ 택수곤(澤水困

2) 유혼괘(游魂卦)
① 천수송(天水訟)

② 택풍대과(澤風大過)

③ 화지진(火地晋)

④ 뇌산소과(雷山小過)

⑤ 풍택중부(風澤中孚)

⑥ 수천수(水天需)

⑦ 산뢰이(山雷頤)

⑧ 지화명이(地火明夷)

3) 귀혼괘(歸魂卦)
① 화천대유(火天大有)

② 뇌택귀매(雷澤歸妹)

③ 천화동인(天火同人)

④ 택뢰수(澤雷隨)

⑤ 풍산점(風山漸)

⑥ 지수사(地水師)

⑦ 수지비(水地比)

⑧ 산풍고(山風蠱)

7. 세(世)와 응(應)

세(世)는 나 · 자신 · 내편 · 나의 위치 · 내가 있는 곳을 말하고, 응(應)은 너 · 상대방 · 상대편 · 상대방의 위치 · 상대가 있는 곳을 말한다. 예를 들어 점을 치러온 사람이 동업을 한다면 동업자는 응(應)으로 보고 점을 치러 온 사람은 세(世)로 본다. 비신(飛神) 붙이는 방법 참조하라.

3. 18론 해설

1. 용신(用神)의 분류

1) 부모

부모, 조부모, 조상, 백부, 숙부, 친척이나 부모에 해당하는 사람, 연장자, 웃어른, 선생, 상사, 문서, 실력, 시험, 문장(文章), 장부, 책, 증서, 결재, 담보, 도장, 편지, 집, 건물, 차, 비행기, 배, 옷, 비옷, 의료, 화물, 점포 등.

2) 형제

형제, 자매, 여동생의 남편, 아내의 남자형제, 동료, 친구, 경쟁자, 사건, 구설, 질투, 방해, 분쟁, 동업자 등.

3) 처재(妻財)

아내, 첩, 처제, 형수, 제수, 종업원, 고용인, 하수인, 금전, 금은보석, 물품, 양곡, 가구, 상품 등.

4) 관귀(官鬼)

남편, 남편의 친구, 여자는 남자애인, 애인, 직장, 직업, 벼슬, 관청, 관재구설, 귀신, 난신, 도적, 반역자, 근심, 걱정, 숭배하는 교회, 절, 질병 등.

5) 자손

자손, 조카, 사위의 제자, 군인, 부하, 기술자, 승려, 기도, 산신, 화해, 복덕, 짐승, 새, 태양, 약, 약사, 의사 등.

2. 천시점(天時占)의 용신(用神)

① 부(父) : 비
② 형(兄) : 바람
③ 재(財) : 청명
④ 관(官) : 천둥·번개
⑤ 손(孫) : 무지개

3. 세응(世應)과 용신(用神)

용신(用神)은 그 점에서 목적·사건·당사자의 점사의 주사효(主事爻)가 된다. 예를 들어 부모에 대한 점을 칠 때는 부효(父爻)가 용신(用神)이고, 아내에 대한 점을 칠 때는 처재효(妻財爻)가 용신(用神)이다. 자신에 대한 점을 칠 때는 세(世)가 용신(用神)이고, 상대나 다른 장소 등은 모두 응(應)이 용신(用神)이다. 결국 용신(用神)이 얼마나 강하냐 약하냐에 따라 길흉이 달라진다.

4. 원신(原神)

원신(原神)은 용신(用神)을 생(生)해주는 길신(吉神)이다. 만일 인목(寅木)이 용신(用神)이면 자(子水)가 원신(原神)이 된다.

5. 기신(忌神)

기신(忌神)은 원신(原神)과 반대로 용신(用神)을 극(剋)하는 흉신(凶神)이다. 만일 인목(寅木)이 용신(用神)이면 신유금(申酉金)이 기신(忌神)이 된다.

6. 구신(仇神)

구신(仇神)은 기신(忌神)을 돕고 원신(原神)을 파괴하는 신이다. 만일 자수(子水)가 용신(用神)이면 진술축미(辰戌丑未)가 기신(忌神)인데, 그 기신(忌神)을 돕는 것이 사오화(巳午火)이므로 사오화(巳午火)는 구신(仇神)이 된다. 다시 말해 사오화(巳午火)는 자수

(子水)인 용신(用神)을 돕는 신유금(申酉金)을 극(剋)하고, 구신
(仇神)은 기신(忌神)을 생(生)해주므로 결국 원신(原神)을 극제(剋
制)하는 흉신이 된다.

7. 비신(飛神)

비신(飛神)은 복신(伏神)이 있는 효(爻)를 말한다. 예를 들어 천
풍구(天風姤)의 2효 해수(亥水)가 비신(飛神 : 伏神 寅) 위의 글자
가 비신(飛神)이 된다. 만약 오화(午火) 아래 신금(申金)이 복신
(伏神)이면 신금(申金) 위의 오화(午火)가 비신(飛神)이 된다.

8. 복신(伏神)

복신(伏神)은 육효(六爻)의 괘상(卦象)에 나타나지 않고 숨어 있
는 것을 말한다. 부(父)·형(兄)·재(財)·관(官)·손(孫) 중에서 1
개 또는 2개가 없으면 복신(伏神)이라 하는데, 없다고 찾는 것이
아니라 용신(用神)이 나타나지 않았을 때 복신(伏神)을 찾는다.
예를 들면 다음과 같다.

父 戌 ——
兄 申 ——
官 午 —— 應
父 辰 ——
財 寅 ——　　　　　伏寅財
孫 子 — — 世

이 괘(卦)에서는 재(財)가 보이지 않으므로 재(財)가 복신(伏神)이다. 만일 재(財)가 용신(用神)이면 용신(用神)을 찾아야 한다. 천풍구(天風姤)는 건위천(乾爲天) 금궁(金宮)에 속하는 괘(卦)로, 금궁(金宮)의 재(財)는 금극목(金剋木)으로 목(木)이 되어 인목(寅卯未)을 찾으면 된다. 비신납갑법(飛神納甲法)의 금궁(金宮)을 보면 1건(一乾) 2효에 인(寅)이 바로 복신(伏神)이 된다.

9. 육수(六獸)

① 청룡(靑龍) : 희열지신으로 기쁘고 착하며 귀인(貴人)이다. 기신(忌神)에 붙으면 불리하다.

② 주작(朱雀) : 변화가 많고 구설시비가 따른다. 만약 흉신이 같이 있으면 재난이 따른다.

③ 구진(句陳) : 토(土)를 지배하는 신으로 주로 땅·토지·전답·부동산을 담당한다. 용신(用神)을 생(生)하면 길하고 기신(忌神)을 도우면 흉하다.

④ 등사(騰蛇) : 괴이하며 허풍과 허세가 있고 거짓말을 잘한다. 등사(騰蛇)는 백호(白虎)나 청룡(靑龍)이 극(剋)하거나 제(制)해야 한다. 등사(騰蛇)가 길신을 충극(沖剋)하면 흉하다.

⑤ 백호(白虎) : 흉신으로 용맹하며 냉정하고 살생을 좋아한다. 흉신이나 육친(六親)의 길신이 되면 길하다.

⑥ 현무(玄武) : 흉신으로 도적·실물·비밀·음란·음흉을 나타내고, 진퇴양난의 신이다.

10. 월파(月破)

 월파(月破)는 월지(月支)가 용신(用神)을 충(沖)하는 것을 말한다. 월파(月破)되어도 일진(日辰)과 동효(動爻)가 용신(用神)을 생(生)하면 유용하고, 월파(月破)된 후 그 달이 지나고 용신(用神)이 생왕(生旺)하는 날이 되어야 성사된다.

11. 공망(空亡)

 공망(空亡)에는 진공(眞空)·가공(假空)·순공(旬空)·도저공(到底空)이 있다.

① 진공(眞空)은 휴수사절(休囚死絶)되고 공망(空亡)되는 것을 말하는데 쓸데가 없다.
② 가공(假空)은 공망(空亡)되었으나 공망(空亡)이 아닌 것을 말한다. 공망(空亡)된 효(爻)가 월지(月支)와 같으면 공망(空亡)이라도 공망(空亡)이 아닌 것으로 본다.
③ 순공(旬空)은 점을 치려는 일진(日辰)을 기준으로 본다. 용신(用神)이 공망(空亡)되면 불리하고, 공망(空亡)이 충(沖)이나 동(動)하지 않고 가만히 있으면 출공(出空)할 때 성사된다.
④ 도저공(到底空)은 용신(用神)이 공망(空亡)되어 용신(用神)을 극(剋)하는 것만 있고 생(生)해주는 것이 없는 것을 말한다. 용신(用神)이 도저공(到底空)을 만나면 흉하나, 기신(忌神)이나 구신(仇神)이 도저공(到底空)을 만나면 길하다.

12. 반음(反吟)

 반음(反吟)에는 괘(卦)의 반음(反吟)과 효(爻)의 반음(反吟)이 있다. 괘(卦)의 반음(反吟)은 괘(卦)가 변한 후 상충(相沖)되는 것이고, 효(爻)의 반음(反吟)은 효(爻)가 동변(動變)한 후 상충(相沖)되는 것이다. 반음(反吟)은 일이 반복된다는 뜻으로 만사가 순조롭지 못하고 지체된다. 만일 용신(用神)이 충(沖)과 극(剋)으로 변하지 않으면 후에 반음(反吟)을 충거(沖去)할 때 성사된다.

13. 복음(伏吟)

 복음(伏吟)은 건괘(乾卦)가 변하여 진괘(震卦)가 되고, 진괘(震卦)가 변하여 건괘(乾卦)가 되는 것을 말한다. 이는 우울·신음·한탄의 상이다. 내괘(內卦) 복음(伏吟)은 내부의 일에 불리하고, 외괘(外卦) 복음(伏吟)은 외부의 일에 불리하다. 강압·한탄·번뇌 등이 따른다.

① 명예점 : 오래 머문다.

② 이익점 : 본전을 모두 잃는다.

③ 묘·택사점 : 옮길 수도 없고 지킬 수도 없이 곤란하다.

④ 병점 : 오랫동안 신음한다.

⑤ 혼인점 : 성사되지 않는다.

⑥ 출행점 : 막혀서 오고갈 수 없고 여행 중인 사람은 불안하다.

14. 왕상휴수(旺相休囚)

용신(用神)과 세(世)는 반드시 왕(旺)해야 길하고 휴수사절(休囚死絶)되면 불길하다. 왕상휴수사절(旺相休囚死絶)은 월지(月支)와 대조하여 어느 효(爻)가 왕한가 쇠약한가를 찾아 길흉을 판단한다. 세응(世應)·용신(用神)·원신(原神)·기신(忌神)·구신(仇神) 등이 강한지 약한지를 잘 살펴야 한다. 예를 들어 인묘(寅卯)월에는 목(木)은 왕(旺), 화(火)는 상(相), 수(水)는 휴(休), 금(金)은 수(囚), 토(土)는 사(死)된다.

왕상휴수사(旺相休囚死) 조견표

月＼旺衰	旺	相	休	囚	死
寅卯月	木	火	水	金	土
巳午月	火	土	木	水	金
申酉月	金	水	土	火	木
亥子月	水	木	金	土	火
辰戌丑未月	土	金	火	木	水

15. 합충대극(合沖帶剋)

자(子)와 축(丑)은 합(合)이면서도 극(剋)이 된다. 이 때의 합(合)과 극(剋)의 비율은 합(合)은 30%이며 극(剋)은 70%로 본다. 그러나 일진(日辰)이나 월령(月令)에서 생부(生扶)를 받거나 동효(動爻)의 생(生)을 받을 때는 합(合)으로 보고, 그렇지 않으면 극(剋)으로 본다.

16. 합처봉충(合處逢冲)과 충중봉합 (冲中逢合)

육합괘(六合卦)는 모이는 것이니 만사가 순조롭고 길하다. 그러나 변하여 육충괘(六冲卦)가 되거나 일진(日辰)이나 월령(月令)의 충(冲)을 받으면 흩어지므로 흉하다. 육합(六合)이 변해서 충(冲)이 되면 처음에는 길하나 나중에는 흉하다. 반대로 충중봉합(冲中逢合)은 처음에는 흉하나 나중에는 길하다.

17. 절처봉생(絶處逢生)과 극처봉생(剋處逢生)

용신(用神)이 일진(日辰)에서 절(絶)이 되면 대흉하다. 만일 동효(動爻)나 변효(變爻)가 장생(長生)이 되면 절처봉생(絶處逢生)이라 한다. 극처봉생(剋處逢生)도 마찬가지다.

18. 진신(進神)과 퇴신(退神)

진신(進神)과 퇴신(退神)은 같은 오행(五行)끼리만 본다. 예를 들어 건괘(乾卦)의 자인진(子寅辰) 오신술(午申戌)의 경우 초효(初爻) 해(亥)에서 자(子)로 변하는 것처럼 순서대로 변하는 것을 진신(進神)이라 하고, 오(午)에서 사(巳)로 역으로 변하면 퇴신(退神)이라 한다.

진신(進神)에는 왕상(旺相)한 효(爻)가 진신(進神)이 되는 경우, 휴수(休囚)된 효(爻)가 진신(進神)이 되는 경우, 동효(動爻)나 변효(變爻)된 효(爻) 중에서 공망(空亡)·월파(月破)·육충(六冲)·육합(六合)을 만나 진신(進神)이 되는 경우가 있다. 때를 기다려 진신(進神)이 된다는 것은 순공(旬空)은 출공일(出空日)을 말하고, 월파(月破)는 출파월(出破月)을 말하며, 육충(六沖)을 만나면 육합(六合)의 시기다. 왕상(旺相)인 퇴신(退神) 또는 일월(日月)부터 생(生)을 받은 것은 퇴신(退神)이 되지 않는다. 휴수(休囚)인 효(爻)는 즉각 퇴신(退神)이 된다. 동효(動爻)나 변효(變爻)가 된 효(爻)가 공망(空亡)·월파(月破)·육충(六沖)·육합(六合)을 만나면 그 시기를 기다려 퇴신(退神)이 된다. 진신(進神)과 퇴신(退神)은 길흉이 2배로 증가하거나 감소된다.

4. 용어해설

1) 용신다현(用神多現)
① 세효(世爻)에 있는 것을 사용한다.
② 일진(日辰)이나 월령(月令)과 같은 것을 사용한다.
③ 발동한 효(爻)를 사용한다.
④ 일충(日沖)이나 월파(月破)를 당한 효(爻)를 사용한다.
⑤ 공망(空亡)된 것을 사용한다.
※ 상처를 많이 받은 효(爻)부터 먼저 사용한다.

2) 괘신(卦神)
　음효(陰爻)일 때는 세(世)가 있으면 초효(初爻)부터 오(午)로 시작하여 세어가면 세(世)가 있는 자리까지 간다. 양효(陽爻)일 때는 세(世)가 있으면 초효(初爻)부터 자(子)로 시작하여 세어가면 세(世)가 있는 자리까지 간다. 세(世)의 자리에 닿는 것이 괘신(卦神)이 된다.

3) 괘(卦)의 종류

① 안정괘(安靜卦) : 괘(卦)가 1개도 동(動)하지 않은 것.

② 독정독발(獨靜獨發) : 1개나 5개의 괘(卦)가 발동한 것.

③ 난동괘(難動卦) : 2~4개의 효가 발동한 것.

④ 진발괘(盡發卦) : 6개의 효가 모두 발동한 것.

4) 암동(暗動)

일진(日辰)과 충(沖)이 된 경우를 말한다. 남이 모르게 진행하는 일, 모략·책동, 정치 등과 같은 일들을 말한다.

5) 합기(合起)와 합주(合住)

합기(合起)는 동효(動爻)나 안정효가 일진(日辰)과 합(合)을 만나면 움직일 마음이 생기는 것을 말하고, 합주(合住)는 발동한 용신(用神)과 합(合)한 것으로 다른 사람의 만류로 일을 중지하는 것을 말한다.

6) 회두극(回頭剋)

변괘(變卦)나 변효(變爻)가 돌아서서 극(剋)하는 것을 말하는데 철저하게 모두를 극(剋)한다. 예를 들면 건(乾)과 태(兌)가 이괘(離卦)로 변한 것이다. 건(乾)과 태(兌)는 금궁(金宮)이고, 이(離)는 화(火)로 화극금(火剋金)이 되니 극(剋)의 관계다. 변해서 본괘를 극(剋)하는 것을 말한다.

① 용신(用神)이나 원신(原神)이 회두극(回頭剋)되면 흉하다.
② 기신(忌神)이나 구신(仇神)이 회두극(回頭剋)되면 길하다.
③ 회두극(回頭剋)은 흉하나 용신(用神)이 왕(旺)하면 길하다.

7) 회두생(回頭生)

회두생(回頭生)은 건(乾)과 태(兌)가 간(艮)과 곤괘(坤卦)로 변하는 것을 말한다. 즉 변괘(變卦)가 어느 효(爻)를 생(生)하면 그 효(爻)가 회두생(回頭生)이 된다.

① 용신(用神)이나 세(世)를 회두생(回頭生)하면 길하다.
② 기신(忌神)을 회두생(回頭生)하면 흉하다.

8) 삼합국(三合局)

삼합국(三合局)에는 인오술화국(寅午戌火局), 사유축금국(巳酉丑金局), 신자진수국(申子辰水局), 해묘미목국(亥卯未木局)이 있다. 예를 들어 인오술(寅午戌) 3개가 일월(日月)이나 동효(動爻)에 있으면 이 3개가 자립하여 화(火)를 돕는다. 이를 결당(結黨)이라 하는데 강력하다. 1개가 정(靜)하고 2개가 정(靜)할 때는 정(靜)한 효(爻)의 치일(置日 : 돌아오는 날)에 응(應)한다. 1개가 정(靜)하면서 순공(旬空)이 되거나 동(動)하여 순공(旬空)이 되거나 변하여 순공(旬空)이 되면 출공(出空)하는 날 이루어진다. 1개에 병(病)이 없고 일진(日辰)이 절(絶)이 되면 소생하는 날 이루어진다.

9) 파면충(破面沖)

파면충(破面沖)은 파효(破爻)가 다시 충(沖)이 되는 것을 말한다. 극해(剋害)가 이중이라고 흉도 이중이 되는 것이 아니라 파(破)를 하니 용신(用神)과 생왕(生旺)에 따라 구분해야 한다.

10) 육충괘(六沖卦)

일진(日辰)과 용신(用神)이 합(合)되거나 변효(變爻)가 일진(日辰)과 합(合)되면 충중봉합(沖中逢合)이 되니 결국은 일이 성사된다. 그러나 육충괘(六沖卦)가 다시 충(沖)이 되면 불길하다.

11) 육합괘(六合卦)

일진(日辰)에서 충(沖)되는 것만 빼고 나머지는 모두 성사된다. 그러나 육합괘(六合卦)가 다시 다른 효(爻)와 합(合)되면 불길하다. 변동없이 그대로 지키는 것이 좋다.

12) 거살유은(去煞留恩)과 유살해명(留煞解命)

거살유은(去煞留恩)은 일진(日辰)이나 변효(變爻)가 용신(用神)을 합(合)하고 기신(忌神)을 충(沖)하는 것을 말한다. 이는 기신(忌神)을 제거하고 나를 돕는 것이 되니 길하다. 유살해명(留煞解命)은 용신(用神)을 충(沖)하고 기신(忌神)과 합(合)되는 것을 말하는데 만사가 흉하다. 충처봉합괘(沖處逢合卦)나 합처봉충괘(合處逢沖卦)에서 자주 나타난다. 대개 용신(用神)을 충극(沖剋)하지 않으면 해가 없다.

13) 삼형(三刑)과 육해(六害)

인사신(寅巳神) 삼형(三刑)은 교통사고로 추정하고, 축술미(丑戌未) 삼형(三刑)은 민사사건으로 추정한다. 육해(六害)는 여러 번 실험해 보았으나 효과가 없었다.

14) 충기(沖起)·충실(沖實)·충산(沖散)

① 충기(沖起) : 충(沖)으로 일어나는 것을 말한다(沖).
② 충실(沖實) : 충(沖)으로 강해지는 것을 말한다(沖生).
③ 충산(沖散) : 충(沖)으로 흩어지는 것을 말한다(破).

15) 반주(絆主)

동효(動爻)가 일진(日辰)과 합(合)되는 것을 말한다. 동(動)하려 해도 상대의 방해로 제지된다. 외출하려는데 손님이 와서 붙잡힌 격이다.

16) 무귀무기(無鬼無氣)

관귀(官鬼)는 근심을 뜻한다. 괘(卦) 중에 없으면 분란이 나타나 불길하나 정귀(靜鬼)하면 대길하다.

17) 귀혼괘(歸魂卦)

귀혼괘(歸魂卦)는 집으로 돌아온다는 뜻으로, 집을 나간 사람은 반드시 돌아온다. 출행점에서 세효(世爻)가 동(動)하면 출발할 수 있으나 귀혼괘(歸魂卦)이면 출발하지 않는 것이 좋다.

18) 유혼괘(遊魂卦)

몸은 집에 있지만 마음은 밖에 있으니 안정되지 않는다. 신명점(身命占)에서는 여행을 하거나 타지에서 근무하게 된다.

19) 탐생망극(貪生忘剋)

생(生)을 탐내다가 극(剋)할 마음을 잊은 것을 말한다. 어떤 오행(五行)이 생(生)할 자도 있고 극(剋)할 자도 있는데 극(剋)할 자를 극(剋)하지 않고 생(生)부터 먼저 하는 것이다.

20) 탐합망극(貪合忘剋)

합(合)을 탐내다가 극(剋)할 것을 극(剋)하지 않는 것을 말한다. 싸우러 가다가 친한 사람을 만나 환담을 나누다 싸울 계획을 포기하는 것과 같다.

제3장. 18문답

1. 삼전극용(三傳剋用)

 각각 1개의 효(爻)가 동(動)하여 극(剋)하면 다시 동출(動出)한 효(爻)를 보아 생(生)이면 생(生)이 되고 극(剋)이면 극(剋)이 된다.

■ 아우의 병이 위독한데 낫겠는가?

수화기제(水火旣濟) → 택화혁(澤火革) : 감궁(坎宮)

점일 : 진(辰)월 병신(丙申)일

```
                 兄子  ━ ━   應 靑

                 官戌  ━━        玄

      兄亥       父申  ━/━      白

                 兄亥  ━━      世 螣

                 官丑  ━ ━      句

                 孫卯  ━━        朱
```

 이 괘(卦)는 해수(亥水) 형효(兄爻)가 용신(用神)인데 진(辰)월이 극(剋)하고 신(申)일이 생(生)한다. 또 신(申)일 동효(動爻)의 생(生)을 얻었으니 위험에서 벗어날 수 있다. 과연 당일 유(酉)시에 명의를 만났고 해(亥)일에 완쾌되었다.

2. 회두극(回頭剋)

대개 회두극(回頭剋)인데 원신(原神)이나 용신(用神)을 철저하게 극(剋)하면 흉하고, 기신(忌神)이나 구신(仇神)을 만나도 흉하다.

■ 비가 언제 비가 오는가?

지풍승(地風升) → 지수사(地水師) : 진궁(震宮)

점일 : 유(酉)월 병인(丙寅)일

```
            官 酉  ▬ ▬     青
            父 亥  ▬ ▬     玄
            財 丑  ▬ ▬  世  白
   孫 午     官 酉  ━┼━     螣
            父 亥  ▬▬▬     句
            財 丑  ▬ ▬  應  青
```

해수(亥水) 부효(父爻)가 용신(用神)인데 순공(旬空)이 되었고, 유금(酉金) 관귀효(官鬼爻)는 원신(原神)인데 오화(午火)로 회두극 (回頭剋)되었다. 10일 안에는 오지 않고 자(子)일에 약간 올 것이다. 자(子)일로 보는 것은 오화(午火) 구신(仇神)을 충거(沖去)하기 때문이고, 작은 비로 보는 것은 순공(旬空)되고 무근(無根)하기 때문이다.

3. 원신(原神)

■ 아버지의 병환이 어떻게 되겠는가?

지풍승(地風升) → 지수사(地水師) : 진궁(震宮)

점일 : 인(寅)월 을축(乙丑)일

```
                官 酉  ▬ ▬      玄
                父 亥  ▬ ▬      白
                財 丑  ▬ ▬   世 螣
       孫 午    官 酉  ━┼━      句
                父 亥  ━━━      朱
                財 丑  ▬ ▬   應 靑
```

　자식이 아버지의 병점(病占)을 보는 것이니 해수(亥水) 부효(父爻)가 용신(用神)이다. 비록 순공(旬空)이 되었어도 유금(酉金) 원신(原神)이 동(動)하여 생(生)하니 어려움은 없다. 그러나 유금(酉金)이 오화(午火)로 변하여 회두극(回頭剋)되는 것이 좋지 않다. 이것은 원신(原神)이 손상되므로 용신(用神)이 무근(無根)이 된다. 이 사람은 묘(卯)일 묘(卯)시에 사망하였다. 묘(卯)일 묘(卯)시에 응(應)한 것은 오화(午火)를 생조(生助)하고 원신(原神)을 충극(沖剋)했기 때문이다.

■ 내 몸이 아픈데 어떻게 되겠는가?

천화동인(天火同人) → 화산려(火山旅) : 이궁(離宮)

점일 : 축(丑)월 무자(戊子)일

```
              孫戌  ──  應朱
      孫未  財申  ─┼─     青
              兄午  ──      玄
              官亥  ──  世白
              孫丑  ─ ─      螣
      孫辰  父卯  ─┼─      句
```

　자신의 병점(病占)이니 세(世)가 용신(用神)이다. 세효(世爻) 해
수(亥水)가 자(子)일의 도움을 받고, 또 신금(申金) 원신(原神)이
동(動)하여 상생(相生)되니 죽을 병은 아니다. 그러나 의심스러운
것은 신금(申金)이 축(丑)월에서 묘(墓)가 되어 생(生)할 수 없는
것이다. 이모에게 다시 점을 치게 하였다.

■ 다시 친 점

이위화(離爲火) → 화천대유(火天大有) : 이궁(離宮)

점일 : 축(丑)월 무자(戊子)일

```
         兄巳  ——    世朱
         孫未  - -      青
         財酉  ——      玄
         官亥  ——   應白
父寅   孫丑  -/-      螣
         父卯  ——      句
```

　이모도 부모나 마찬가지이니 손효(孫爻)가 용신(用神)이다. 축토
(丑土) 손효(孫爻)가 비록 월건(月建)에 있으나 동(動)하여 인목
(寅木)으로 변해 회두극(回頭剋)이 되어 좋지 않다. 지금은 괜찮으
나 봄에 목왕토쇠(木旺土衰)하면 반드시 죽는다. 또 앞 괘(卦)와
합해 보면 신금(申金) 원신(原神)이 해수(亥水) 세효(世爻)를 상생
(相生)해주나 인(寅)월이 신금(申金)을 충거(沖去)하여 위험하다.
과연 봄으로 바뀌는 날 사망하였다.

　병점(病占)은 대개 가족이면 누구든 대신 점을 칠 수 있는데 합하
여 결정하면 생사일을 알 수 있다. 그러므로 괘(卦)를 잘 살펴야
하고, 화복을 판단할 때는 더 신중해야 한다. 앞 괘(卦)는 신금(申
金) 원신(原神)이 동(動)하고 생세(生世)하여 신(申)일에 퇴재(退

災)할 것 같았으나 이 괘(卦)를 보면 축토(丑土) 손효(孫爻)가 인목(寅木)으로 변하여 극(剋)되니 인(寅)월이 위험하다. 인(寅)월이 신금(申金)을 충거(沖去)하기 때문이다.

4. 삼합(三合)

원신(原神)과 용신(用神)이 국(局)을 이루면 길하고, 기신(忌神)과 구신(仇神)이 국(局)을 이루면 흉하다. 국(局)을 이룬다는 것은 집단을 만드는 것이니 동효(動爻)인들 어찌 제(制)하겠는가. 만일 효(爻) 3개가 모두 동(動)하여 용신국(用神局)을 이루면 반드시 1개는 기신(忌神)과 구신(仇神)이어야 한다. 이 때 효(爻) 1개는 병(病)과 관계있으니 병(病)과 인연이 있는 것으로 본다. 일충(日沖)을 만나 암동(暗動)되거나, 동효(動爻)가 일진(日辰)에서 충(沖)을 만나 실(實)되거나, 월건(月建)이 충(沖)하여 파(破)되는 것이다.

만약 충파(沖破)되면 반드시 상합(相合)되어야 길흉이 나타난다. 만일 효(爻)가 1개는 정(靜)한데 2개가 발동하면 반드시 정효(靜爻)의 치일(置日), 즉 정(靜)한 효(爻)와 같은 날이나 달에 응사(應事)한다. 가령 효(爻) 2개가 동(動)하고 효(爻) 1개가 정(靜)한데 공망(空亡)되거나, 동(動)한데 공망(空亡)되고 화(化)하여 공망(空亡)되면 출공(出空)하는 때를 기다려야 길흉이 나타난다.

만일 스스로 화(化)하여 합(合)되거나, 일(日)과 합(合)되거나, 일진(日辰)이 묘(墓)에 해당하면, 반드시 충(沖)하는 때를 기다려야 한다. 이 말은 효(爻) 3개가 모두 발동했는데 2개는 무병(無病)이 없는 상태에서 스스로 화(化)하는 것을 말한다. 만일 스스로 화(化)하여 일진(日辰)이 절지(絶地)되면 반드시 그 생(生)을 받아야 길흉이 나타난다. 역시 효(爻) 1개에 병(病)이 있을 때를 말한다.

■ 물 때문에 위아래 동네가 싸우는데 어떻게 되겠는가?

이위화(離爲火) → 곤위지(坤爲地) : 이궁(離宮)

점일 : 묘(卯)월 정사(丁巳)일

財酉	兄巳	╪	世靑
	孫未	▬▬	玄
孫丑	財酉	╪	白
父卯	官亥	╪	應螣
	孫丑	▬▬	句
孫未	父卯	╪	朱

내괘(內卦)는 우리 동네인데 해묘미(亥卯未) 삼합(三合)으로 목국(木局)이 되었고, 외괘(外卦)는 다른 동네인데 사유축(巳酉丑)으로 금국(金局)하여 금(金)이 목(木)을 극(剋)하니 우리 동네가 질 상이다. 그러나 다행히도 쇠한 금(金)이 왕(旺)한 목(木)을 극(剋)하지 못하니 두려울 것이 없다. 또 육충괘(六沖卦)가 다시 육충괘(六沖卦)로 변하여 화해를 종용하는 사람이 있으니 시비가 멈출 것이

다. 이 일은 권고로 해결되었다. 당초 내외(內外)의 두 국(局)이 결성하여 만들어진 국(局)이므로 서로 나뉘었다. 동(動)하지 않았을 때는 국(局)을 이루지 못한 것이다. 이 때는 세응(世應)을 보아야 하는데 많은 사람이 화해하여 쓰지 않았다. 만약 괘(卦)가 육충괘(六沖卦)로 화(化)하지 않았다면 시비가 없었을 것이다.

■ 공명(功名)을 얻을 수 있는가?

건위천(乾爲天) → 수천수(水天需) : 건궁(乾宮)

점일 : 사(巳)월 정유(丁酉)일

孫子	父戌	✛	世青
	兄申	—	玄
兄申	官午	✛	白
	父辰	—	應螣
	財寅	—	句
	孫子	—	朱

    왕관(旺官)이 생세(生世)하니 반드시 자리를 얻을 것이다. 단 인오술(寅午戌) 삼합(三合) 관국(官局)이 이루어지고, 내괘(內卦)의 인(寅)이 동(動)하지 않았으니 인(寅)일을 기다려야 한다. 후에 인(寅)일에 되었다. 이것은 인(寅) 1개가 모자라 보충하는 것을 쓴 것이다.

■ 선거에 당선되겠는가?

건위천(乾爲天) → 천풍소축(風天小畜) : 건궁(乾宮)

점일 : 인(寅)월 병진(丙辰)일

```
                 父 戌  ——  世 靑
                 兄 申  ——     玄
      父 未       官 午  —+—    白
                 父 辰  ——  應 螣
                 財 寅  ——     句
                 孫 子  ——     朱
```

　술효(戌爻)가 암동(暗動)하고 오효(五爻)가 명동(明動)하는 것은 오화(午火) 관귀(官鬼)가 동(動)하였기 때문이고, 미토(未土)로 화(化)하여 오(午)와 합(合)했으니 반드시 충개(沖開)되는 자축(子丑)월에 될 것이다. 또 다른 방법으로 오화(午火)는 명동(明動)하고 술토(戌土)가 암동(暗動)했다. 삼합(三合)에 인(寅)이 모자라니 월건(月建)을 빌어 삼합(三合)을 이루었다. 인(寅)이 이 달이니 반드시 당선되는데 이 달에 당선이 되었다.

■ 다시 복직할 수 있는가?

택지췌(澤地萃) → 택화혁(澤火革) : 태궁(兌宮)

점일 : 진(辰)월 정해(丁亥)일

	父未	━ ━		靑
	兄酉	━━━	應	玄
	孫亥	━━━		白
孫亥	財寅	━/━		螣
	官巳	━ ━	世	句
財寅	父未	━/━		朱

　내괘(內卦)가 해묘미(亥卯未)로 재국(財局)을 이루어 사화(巳火) 관(官)을 생세(生世)하고, 세효(世爻) 사화(巳火)에 역마(驛馬)가 임했는데 해(亥)일이 충(沖)하여 암동(暗動)하니 돈을 쓰지 않아도 미(未)월에는 복직할 수 있다. 후에 복직했는데 오미(午未)가 공망(空亡)되었다가 출공(出空)되는 달이 되었기 때문이다.

■ 아버지의 병환이 어떻게 되겠는가?

건위천(乾爲天) → 화산려(山火旅) : 건궁(乾宮)

점일 : 축(丑)월 기묘(己卯)일

	父卯	——	世 句
孫子	兄申	✕	朱
父戌	官午	✕	青
	父辰	——	應 玄
父丑	財寅	✕	白
	孫子	——	螣

세효(世爻) 술토(戌土) 부효(父爻)가 용신(用神)이다. 근병(近病)에 일진(日辰)과 합(合)되는 것은 좋지 않다. 그러나 다행인 것은 인오술(寅午戌)이 합(合)하여 화국(火局)을 이루어 용신(用神)을 생(生)하니 무방하다. 다만 술효(戌爻)가 합(合)되었으니 다음날 진(辰)일에 합(合)과 충(沖)을 만나 쾌유되었다.

■ 숙모의 병환이 어떻게 되겠는가?

이위화(離爲火) → 지화명이(地火明夷) : 이궁(離宮)

점일 : 축(丑)월 무오(戊午)일

```
財酉      兄巳   ━┼━   世朱

         孫未   ━ ━      青

孫丑      財酉   ━┼━      玄

         官亥   ━━━   應白

         孫丑   ━ ━      螣

         父卯   ━━━      句
```

　묘목(卯木) 부효(父爻)가 용신(用神)이다. 외괘(外卦)가 사유축(巳酉丑) 금국(金局)을 이루어 용신(用神)을 극(剋)하나, 2효 축토(丑土)가 순중(旬中) 공망(空亡)이 되어 순내(旬內)에는 무방하다. 다시 말해 사유축(巳酉丑) 삼합(三合)에 축(丑)이 공망(空亡)되므로 삼합(三合)이 제대로 이루어진다. 을축(乙丑)일을 조심하라. 축(丑)일 유(酉)시에 사망하였다. 축(丑)일에 응(應)한 것은 순공(旬空)을 벗어나는 일진(日辰)이기 때문이다.

■ 자식이 언제 돌아오는가?

화택규(火澤揆) → 화풍정(火風鼎) : 간궁(艮宮)

점일 : 미(未)월 무신(戊申)일

```
                 父 巳  ——      朱
                 兄 未  — —     青
                 孫 酉  ——   世 玄
        孫 酉     兄 丑  —/—     白
                 官 卯  ——      螣
        兄 丑     父 巳  —+—  應 句
```

　내괘(內卦)가 사유축(巳酉丑) 금국(金局)을 이루어 용신국(用神局)이 되었다. 축토(丑土)는 월파(月破)되었으니 반드시 입추(立秋) 후 갑자(甲子)일을 기다려야 돌아온다고 했는데 과연 그러하였다. 입추(立秋) 후에 응(應)한 것은 축토(丑土)가 월파(月破)되어 미(未)월이 지나가면 파(破)를 벗어나기 때문이다. 또 갑자(甲子)일에 돌아온 것은 파(破)가 봉합(逢合)하였기 때문이다.

■ 아버지가 언제 돌아오시는가?

산천대축(山天大畜) → 건위천(乾爲天) : 간궁(艮宮)

점일 : 사(巳)월 병신(丙申)일

	官寅	——	靑
孫申	財子	-/-	應玄
父午	兄戌	-/-	白
	兄辰	——	螣
	官寅	——	世句
	財子	——	朱

인오술(寅午戌) 삼합(三合)으로 화국(火局)을 이루어 일진(日辰) 이 인(寅)을 충(沖)하고, 또 신(申)일에 절(絶)되니 기해(己亥)일에 는 반드시 돌아온다. 과연 그러하였다. 기해(己亥)일에 온 것은 충 중봉합(沖中逢合) 절처봉생(絶處逢生)되었기 때문이다.

■ 자리를 지킬 수 있는가?

수풍정(水風井) → 풍택중부(風澤中孚) : 진궁(震宮)

점일 : 축(丑)월 무진(戊辰)일

兄卯	父子	-/-	朱
	財戌	——	世靑
	官申	- -	玄
財丑	官酉	✚	白
	父亥	——	應螣
孫巳	財丑	-/-	句

이 괘(卦)는 심히 기이하다. 세(世)가 공망(空亡)되나 일진(日辰)과 충(沖)되니 공망(空亡)이 아니다. 세(世)가 극(剋)을 받지 않고 암동(暗動)하므로 참론(參論)함이 없으나 이임(離任)은 면하지 못한다. 손님이 아직 참론함이 없는데 어찌 이임(離任)이 되냐고 묻길래 세효(世爻)가 암동(暗動)하니 반드시 동요한다고 말하였다. 내괘(內卦)가 금국(金局)이 되고 응(應)을 생(生)하니 과연 이 사람의 자리를 다른 사람이 차지하였다.

■ 이 땅에 묘를 써도 되는가?

산뢰이(山雷頤) → 천뢰무망(天雷无妄) : 손궁(巽宮)

점일 : 인(寅)월 무오(戊午)일

	兄寅	━━		朱
官申	父子	-/-		靑
孫午	財戌	-/-	世	玄
	財辰	━ ━		白
	兄寅	━ ━		螣
	父子	━━	應	句

　세효(世爻) 술토(戌土)가 봄에 휴수(休囚)되나 오화(午火) 손효(孫爻)로 화(化)하여 회두생(回頭生)되고, 일진(日辰) 월건(月建)이 삼합(三合)을 이루었다. 청룡(靑龍)이 수(水)에 임하고 동(動)하여 신금(申金)으로 화(化)하니 장생(長生)이나 수(水)의 원천이 매우 멀다. 좌측으로 입수(入水)되었으나 월파(月破)로 화(化)하고, 술토(戌土)가 일진(日辰)을 극(剋)하여 충산(沖散)하니 물이 있기도 하고 마르기도 한다고 했더니 손님이 그렇다고 하였다. 그러나 일진(日辰)과 월건(月建)이 지세(持世)하고, 손효(孫爻)가 삼합(三合)을 이루니 망자는 편안하고 산 자는 즐거우리라. 묘를 쓰면 반드시 발복한다. 진(辰)년에 장사지냈는데 유(酉)년에 자손이 과거에 합격하였고, 자(子)년에는 둘째 아들이 지방고시에 합격하였다.

■ 비가 언제 그치는가?

화풍정(火風鼎) → 화택규(火澤揆) : 이궁(離宮)

점일 : 사(巳)월 갑진(甲辰)일

```
              兄巳 ——        玄
              孫未 - -   應  白
              財酉 ——        騰
      孫丑   財酉 ─╂─      句
              官亥 ——   世  朱
      兄巳   孫丑 ─/─      青
```

고법(古法)에서는 부(父)가 은복(隱伏)되고 공망(空亡)되면 비가 오지 않고, 재(財)와 손(孫)이 동(動)하면 청명하다고 하였다. 그러나 이 점은 그렇지 않다. 사유축(巳酉丑) 삼합(三合)으로 재국(財局)을 이루어 극부(剋父)하므로 부효(父爻)가 공망(空亡)되지 않고 극(剋)을 받으면 비가 그친다. 또 은복(隱伏)되고 공망(空亡)도 되었기 때문에 극(剋)을 피하면 비는 그치지 않는다. 반드시 묘(卯)일에 은복(隱伏)이 투출(透出)하고 출공(出空)하여 극(剋)되어야 비가 그친다. 후에 갑(甲)일이 오자 비는 더 많아지고, 묘(卯)일에는 매우 맑았다. 인(寅)일은 비록 출공(出空)되었으나 인(寅)이 극(剋)을 받지 않았기 때문에 큰 비가 온 것이다.

■ 회의가 아내에게 유리하겠는가?

뇌풍항(雷風恒) → 산풍고(山風蠱) : 진궁(震宮)

점일 : 유(酉)월 신묘(辛卯)일

兄寅	財戌	-/-	應 螣
	官申	--	句
財戌	孫午	+	朱
	官酉	—	世 靑
	父亥	—	玄
	財丑	--	白

　고법(古法)에서는 재(財)가 동(動)하고 손(孫)이 생(生)하면 반드시 얻는다고 했으나 그렇지 않다. 응효(應爻)의 재(財)는 재(財)가 아니라 이웃친구의 부인이다. 인오술(寅午戌) 삼합(三合) 화국(火局)이 응(應)을 생(生)하며 세(世)를 극(剋)하고, 묘(卯)일이 응(應)과 합(合)하고 또 세(世)를 충(沖)하니 나에게는 불리하며 무정(無情)하다. 따라서 이 점은 다른 이에게 유리한 회국(會局)이니 반드시 이웃사람의 부인에게 유리한 회의가 될 것이라고 보았는데 과연 그러하였다.

5. 반음(反吟)

■ 선임되겠는가?

지택림(地澤臨) → 풍택중부(風澤中浮) : 곤궁(坤宮)

점일 : 묘(卯)월 을해(乙亥)일

官卯	孫酉	–/–	玄
父巳	財亥	–/–	應白
	兄丑	– –	螣
	兄丑	– –	句
	官卯	——	世朱
	父巳	——	靑

　세(世)가 묘목(卯木) 월건(月建)에 임하고, 관성(官星)이 일진(日辰)에서 장생(長生)을 얻었고, 세(世)와 관성(官星)이 같이 왕지(旺地)에 임했으니 충분이 임지에 오를 수 있다. 과연 이 달에 강서에서 산동으로 승진했다가 다시 강서로 갔다. 이는 외괘(外卦)가 반음(反吟)되었기 때문이다.

■ 제수의 병이 재발했는데 어떻게 되겠는가?

산지록(山地剝) → 곤위지(坤爲地) : 건궁(乾宮)

점일 : 미(未)월 정사(丁巳)일

兄酉	財寅	━━	靑
	孫子	━ ━	世 玄
	父戌	━ ━	白
	財卯	━ ━	螣
	官巳	━ ━	應 句
	父未	━ ━	朱

외괘(外卦)의 간괘(艮卦)가 변하여 곤괘(坤卦)가 되니 반음(反吟)이 되었다. 병이 나았다가 다시 재발한 것이다. 단 인목(寅木) 용신(用神)이 유금(酉金)인데 회두극(回頭剋)으로 화(化)하고, 미(未)월에 묘지(墓地)가 되고 일진(日辰)과 형(刑)되었다. 신(申)일이 위험하다고 보았는데 과연 신(申)일에 사망하였다.

■ 화물을 팔려고 하는데 유리한가?

천풍소축(風天小畜) → 건위천(乾爲天) : 손궁(巽宮)

점일 : 사(巳)월 무신(戊申)일

```
                      兄卯  ━━━       朱

                      子巳  ━━━       靑

         孫午         財未  ━/━   應 玄

                      財辰  ━━━       白

                      兄寅  ━━━       螣

                      父子  ━━━   世 句
```

　천풍소축(風天小畜)이　건괘(乾卦)로　변했으니　괘(卦)의　반음(反
吟)이　되었다. 기쁜　것은　세(世)와　재효(財爻)가　일진(日辰)에서
장생(長生)하는　것이다. 응효(應爻)는　목적지가　되는데　오화(午火)
가　회두생(回頭生)하고　합(合)을　하니　전보다　더　이익이　있을　것이
다. 이　사람은　후에　세　차례나　갔다왔다하더니　이익을　배로　얻었다

6. 복음(伏吟)

■ 가족이 어디로 피해야 하는가?

천뢰무망(天雷无妄) → 뇌천대장(雷天大壯) : 손궁(巽宮)

점일 : 신(申)월 을묘(乙卯)일

財戌	財戌	╋	玄
官申	官申	╋	白
	孫午	━━━	世 螣
財辰	財辰	━/━	句
兄寅	兄寅	━/━	朱
	父子	━━━	應 青

　내괘(內卦)가 복음(伏吟)이니 근심과 답답함이 해소되지 않는다. 다행히 세효(世爻) 오화(午火) 손효(孫爻)가 본인이고 응효(應爻) 자수(子水)는 부모인데, 월건(月建)이 응(應)을 생(生)하고 일진(日辰)은 세(世)를 생(生)하여 세응(世應)이 안정되어 부모와 본인은 걱정이 없다. 그러나 인목(寅木) 형효(兄爻)가 복음(伏吟)이고 월파(月破)까지 당했으니 동생이 위험하다. 손님이 부모가 서쪽의 친가에 계셔도 괜찮으냐고 물었다. 서쪽은 금(金)으로 부모를 생부(生扶)하니 걱정할 필요가 없고, 당신은 동쪽으로 피하는 것이 좋다고 일러주었다. 동쪽은 능히 화를 면할 수 있으니 형제·아내·하인을 데려가면 자손이 지세(持世)하여 편안하다. 그는 식솔들을 데리고 동쪽으로 가서 평안했는데 동생은 부모를 생각하면서 찾으러 다니다가 도중에 해를 당하였다.

■ 아버지가 재임 중에 평안하시겠는가?

천풍구(天風姤)→ 뇌풍항(雷風恒) : 건궁(乾宮)

점일 : 신(申)월 갑오(甲午)일

```
父 戌        父 戌      ┼        玄
兄 申        兄 申      ┼        白
            官 午      ──       應 騰
            兄 酉      ──       句
            孫 亥      ──       朱
            父 丑      ━ ━      世 靑
```

  이 괘(卦)는 외괘(外卦)가 복음(伏吟)되어 반드시 유고될 상이다. 손님이 지방의 변란으로 어려움은 없겠느냐고 묻길래 일진(日辰)이 부(父)를 생(生)하니 다른 일은 걱정하지 않아도 된다고 하였다. 또 금년에 돌아오겠느냐고 묻길래 복음(伏吟)은 돌아오고 싶어도 돌아올 수 없으니 내년 진(辰)월에 평정되면 잠시 벼슬에서 떨어졌다가 오(午)월에 다시 보직발령을 받을 수 있다고 하였다. 진(辰)월에 떨어진다고 본 것은 술부(戌父)가 복음(伏吟)되고 파(破)를 만났기 때문이고, 오(午)월에 보직발령을 받을 것으로 본 것은 일진(日辰)과 관성(官星)이 비견(比肩)이 되어 용신(用神)을 함께 생(生)하고, 오(午)월에 득왕(得旺)하였기 때문이다.

■ 여행 중인데 집안이 편안한가?

천뢰무망(天雷无妄) → 건위천(乾爲天) : 손궁(巽宮)

점일 : 인(寅)월 을묘(乙卯)일

	財戌 ——	玄
	官申 ——	白
	孫午 ——	世螣
財辰	財辰 —/—	句
兄寅	兄寅 —/—	朱
	父子 ——	應青

　내괘(內卦)는 고향집이 되는데 이미 복음(伏吟)이 되어 신음하는 일이 일어난다. 인(寅)월 묘(卯)일이 같이 몰려와 진토(辰土) 재효(財爻)를 극(剋)하니 처첩과 노복에게 일이 생길 것이다. 무슨 일인가를 알려고 다시 점을 쳤다.

■ 다신 친 점

뇌지예(雷地豫) → 천지비(天地否) : 진궁(震宮)

점일 : 인(寅)월 을묘(乙卯)일

財戌	財戌	─/─	玄
官申	官申	─/─	白
	孫午	──	應騰
	兄卯	━━	句
	孫巳	━━	朱
	財未	━━	世青

　술토(戌土) 재효(財爻)가 복음(伏吟)이 되고 일진(日辰)과 월건(月建)이 상극(相剋)하니 반드시 아내가 큰 액을 당한다. 일진(日辰)이 술(戌)과 합(合)되니 인묘(寅卯)가 모두 극(剋)해도 지금은 무사하나, 진(辰)월이 바뀌면 복음(伏吟)이 또 월건(月建)에서 충(沖)되니 피하기 어려울 것이다. 과연 3월에 아내가 사망하였다.

7. 순공(旬空)

　효(爻)가 순공(旬空)을 만나면 공망(空亡)이 아니라고 판단했는데 도저공(到底空)이 되는 것은 무엇때문인가. 공망(空亡)이 생(生)은 없고 극(剋)만 있으면 도저공(到底空)이라 하고, 생(生)은 있는데 극(剋)이 없으면 때를 만나면 쓰임이 있으니 유용하다. 괘(卦)에서 가장 흉한 것은 용신효(用神爻)가 순공(旬空)되는 것이고, 가장 좋은 것은 기신효(忌神爻)가 순공(旬空)되는 것이다.

■ 장모의 병환이 어떻게 되겠는가?

지수사(地水師) → 지풍승(地風升) : 감궁(坎宮)

점일 : 유(酉)월 경진(庚辰)일

	父酉	▬ ▬	應	螣
	兄亥	▬ ▬		句
	官丑	▬ ▬		朱
父酉	財午	▬/▬	世	青
	官辰	▬▬▬		玄
	孫寅	▬ ▬		白

유금(酉金) 부효(父爻)가 순공(旬空)되었으니 근병(近病)이 공망(空亡)되어 낫는다고 보겠지만 일진(日辰)이 합(合)을 한다. 근병(近病)은 합(合)을 만나면 죽는다. 단 세(世)가 부(父)를 극(剋)하는 기신(忌神)이 지세(持世)하니 위험하다. 오화(午火)가 순공(旬空)으로 화(化)하여 순(旬)에서는 극(剋)할 수 없다. 근병(近病)에는 공망(空亡)을 만나면 죽지 않으니 순(旬)에서는 무사하나 을유(乙酉)일이 위험하다/ 과연 을유(乙酉)일 묘(卯)시에 사망하였다.

■ 자식의 병이 언제 낫겠는가?

택풍대과(澤風大過) : 진궁(震宮)

점일 : 유(酉)월 임진(壬辰)일

```
財未  ▬ ▬    白
官酉  ▬▬▬   螣
父亥  ▬▬▬   世句
官酉  ▬▬▬   朱
父亥  ▬▬▬   靑
財丑  ▬ ▬    應玄
```

　오화(午火) 손효(孫爻)가 세효(世爻) 해자(亥子) 아래 은복(隱伏)되었다. 월건(月建)이 생조(生助)하나 해수(亥水)는 자손을 극(剋)한다. 지금은 용신(用神)이 순공(旬空)이 되어 그 극(剋)을 받지 않지만 공망(空亡)이 벗어나는 갑오(甲午)일에는 피할 수 없다. 과연 오(午)월 오(午)시에 사망하였다. 이런 경우를 은복(隱伏)은 제발(提牧)하지 않는다고 하는 것이다.

■ 아우가 큰 호수에 빠져 죽었는데 시신을 찾을 수 있는가?

지뢰복(地雷復) : 곤궁(坤宮)

점일 : 자(子)월 신해(辛亥)일

```
孫 酉   ▬ ▬      螣
財 亥   ▬ ▬      句
兄 丑   ▬ ▬  應   朱
兄 辰   ▬ ▬      青
官 寅   ▬ ▬      玄
財 子   ▬▬▬  世   白
```

  시체에 관한 점은 대개 귀효(鬼爻)가 용신(用神)이다. 인목(寅木) 귀효(鬼爻)가 순공(旬空)되어 해수(亥水)는 득령(得令)한 수(水)로 암동(暗動)되어 합(合)하니 시신은 떠오른다. 단 인목(寅木)이 순공(旬空)이고 합(合)되니 순공(旬空)이 충(沖)되는 경신(庚申)일을 기다려라. 그러나 경신(庚申)일이 아니라 축(丑)월 갑자순(甲子旬) 임신(壬申)일에 떠올랐다. 인귀(寅鬼)가 순(旬)을 벗어났지만 해수(亥水)가 태왕(太旺)하니 자(子)월에는 찾지 못했다. 축(丑)월이 되자 축토(丑土)가 왕수(旺水)를 제압하며 갑자순(甲子旬)에 해수(亥水)가 다시 공망(空亡)되었다. 수(水)가 공망(空亡)된 것은 수(水)가 퇴(退)한 것이다. 목(木)은 수(水)에서 충(沖)되지 않으면 일어나지 못하니 갑자순(甲子旬) 임신(壬申)일에 응(應)한 것이다.

■ 아버지의 병환이 어떻게 되겠는가?

지뢰복(地雷復) → 화뢰서합(火雷噬嗑) : 곤궁(坤宮)

점일 : 축(丑)월 갑오(甲午)일

父巳	孫酉	—/—	玄
	財亥	— —	白
孫酉	兄丑	—/—	應螣
	兄辰	— —	句
	官寅	— —	朱
	財子	——	世靑

　사화(巳火) 부모가 용신(用神)인데 순공(旬空)이 되었고 일진(日辰)과 비화(比和)되었다. 근병(近病)에 공망(空亡)을 만나면 죽지 않으나 육합괘(六合卦)인데 육합(六合)이 되면 죽는다. 용신(用神)이 공망(空亡)과 육합(六合)이 되면 서로 적이라 할 수 있다. 유독 세(世)에 기신(忌神)이 암동(暗動)하고, 외괘(外卦)에서 사유축(巳酉丑) 금국(金局)을 이루어 수(水)를 생(生)하고 용신(用神)을 극(剋)하니 좋지 않다. 이 병은 반드시 죽는다. 사해(巳亥)일에 사화(巳火)를 충극(沖剋)하나 순공(旬空)이므로 무방하나, 출공(出空)하는 신해(辛亥)일이 위험하다. 과연 그날 사망하였다. 순공(旬空)을 빠져나온 날과 충극(沖剋)하는 날이 일치하기 때문이다.

■ 큰 가뭄이 계속되는데 언제 비가 오는가?

풍지관(風地觀) : 건궁(乾宮)

점일 : 미(未)월 무술(戊戌)일

財 卯	━━	朱
官 巳	━━	靑
父 未	━ ━	世 玄
財 卯	━ ━	白
官 巳	━ ━	螣
父 未	━ ━	應 句

월건(月建) 미토(未土) 부효(父爻)가 용신(用神)인데 일진(日辰)
이 비화(比和)되니 반드시 큰 비가 올 것이다. 단 사화(巳火) 관효
(官爻)가 원신(原神)인데 순공(旬空)에 안정하니 정(靜)할 때는 반
드시 충(沖)되어야 하며, 순공(旬空)은 반드시 출순(出旬)을 기다
려야 하므로 신해(辛亥)일에 큰 비가 올 것이다. 과연 신유(申酉)
시에 150mm이나 내렸다.

■ 친구가 언제 오는가?

수산건(水山蹇) : 태궁(兌宮)

점일 : 미(未)월 무술(戊戌)일

孫 子	━ ━	朱
父 戌	━━━	靑
兄 申	━ ━	世 玄
兄 申	━━━	白
官 午	━ ━	螣
父 辰	━ ━	應 句

친구를 점칠 때는 대개 형효(兄爻)가 용신(用神)이 되니 응효(應爻)가 용신(用神)이다. 이 괘(卦)는 응효(應爻)가 순공(旬空)에 있으니 일진(日辰)의 충극(沖剋)를 얻으려면 반드시 갑진(甲辰)일을 기다려야 한다. 출공(出空)되는 날 그가 왔다.

■ 큰 비가 언제 오는가?

뇌산소과(雷山小過) → 택화혁(澤火革) : 태궁(兌宮)

점일 : 미(未)월 갑진(甲辰)일

일진(日辰) 진토(辰土) 부효(父爻)가 용신(用神)인데 용신(用神)이 동(動)하여 월건(月建)의 도움을 얻었고, 또 토(土)가 주체가

	父戌	▅▅ ▅▅	玄
兄酉	兄申	▅/▅	白
	官午	▅▅▅▅▅	世螣
	兄申	▅▅▅▅▅	句
	官午	▅▅ ▅▅	朱
財卯	父辰	▅/▅	應青

되어 용사(用事)하는 때다. 진토(辰土)는 매우 왕성하며 강하니 적지 않은 비가 온다. 그러나 좋지 않은 것은 묘목(卯木)이 순공(旬空)으로 화(化)하고, 회두극(回頭剋)으로 화(化)하는 것이다. 비록 신(申)이 유금(酉金)으로 화(化)하면서 진신(進神)으로 극목(剋木)하여 토(土)를 구한다고 하나 묘목(卯木)이 순공(旬空)되니 금(金)의 극(剋)을 피하게 된다.

결국 묘목(卯木)은 진토(辰土) 부효(父爻)에게 병(病)이 되므로 반드시 갑인순(甲寅旬) 을묘(乙卯)일에 묘목(卯木)이 출공(出空)하고 치일(置日)한 때는 출두하여 극(剋)을 피하기 어렵다. 그리고 술토(戌土)가 암동(暗動)하여 금(金)을 도와 목(木)을 극(剋)하므로 묘목(卯木)은 이미 금(金)의 극(剋)을 받아 진토(辰土)를 해롭게 할 수는 없다. 반드시 갑인순(甲寅旬) 을묘(乙卯)일에 비가 올 것이다. 그러나 그때는 비가 없었고 입추(立秋) 후 신유(辛酉)일 신(申)시에 큰 비가 왔다.

입추(立秋) 후 신유(辛酉)일에 응(應)한 것은 이미 괘(卦)에서 신

(申)이 화(化)하여 유(酉)로 되었기 때문이다. 묘목(卯木)이 출순(出旬)하고 치일(置日)이 되어도 철저하게 극(剋)을 당하지 않다가, 신(申)월로 바뀌자 극(剋)을 받고 또 유(酉)일이 충(沖)하니 비가 온 것이다. 이 괘(卦) 때문에 나의 학문이 진일보하였다.

8. 월파(月破)

월파(月破)의 효(爻)는 무용하여 파(破)에 응(應)하여 파(破)가 안 되고, 또 도저(到底)한 파(破)가 되어 무용한 경우가 있다. 이것은 신기(神機)는 파(破)에서 드러나고 화복(禍福)은 동(動)을 기초로 하기 때문이다. 동(動)하여 생(生)이 있고 극(剋)이 없으면 파(破)된 효(爻)라도 출파(出破)할 때 진실하게 되는 것을 합파법(合破法)이라고 한다. 안정되고 극(剋)은 있으나 생(生)이 없는 파효(破爻)라면 도저(到底)한 파(破)가 된다.

■ 자식의 병이 언제 낫는가?

간위산(艮爲山) → 산수몽(山水蒙) : 간궁(艮宮)

점일 : 인(寅)월 갑오(甲午)일

신금(申金) 손효(孫爻)가 용신(用神)인 월파(月破)에 임하였다. 일건(日建)이 극(剋)하고 동효(動爻)가 극(剋)하고 또 회두극(回頭剋)으로 화(化)하는 것이 좋지 않은데, 극(剋)은 있고 생(生)은 없

		官寅	━━	世亥	
		財子	━ ━	白	
		兄戌	━ ━	螣	
父午		孫申	━╋━	應句	
兄辰		父午	━/━	朱	
		兄辰	━ ━	青	

으니 빨리 집으로 돌아가라. 이 사람은 집에 도착하기도 전에 자식이 신(申)시에 죽었다는 연락을 받았다. 신(申)시에 사망한 것은 진실한 시(時)에 응(應)이 왔으니 극(剋)을 받았기 때문이다.

■ 이 집에서 계속 살아도 되는가?

택화혁(澤火革) → 택천쾌(澤天決) : 감궁(坎宮)

점일 : 신(申)월 신묘(辛卯)일

		官未	━ ━	螣	
		父酉	━━	句	
		兄亥	━━	世朱	
		兄亥	━━	青	
孫寅		官丑	━/━	玄	
		孫卯	━━	應白	

월건(月建)이 세효(世爻)를 생(生)하고, 금(金)이 암동(暗動)하여 세(世)를 생(生)한다. 그러나 축토(丑土) 관성(官星)이 동(動)하여 인목(寅木) 손효(孫爻)로 화(化)한 후 월파(月破)을 만났고, 또 유금(酉金)의 극(剋)을 받았으니 자손의 안전을 도모해야 한다. 손님이 말하기를 집을 사서 이사를 했는데 반 달쯤이 지나 아들이 꽃을 꺾어온다고 나갔다가 사망했다고 한다. 자식이 죽은 집에서 계속 살아도 문제가 없겠느냐고 물었다. 다시 점을 쳐서 판단해야 한다고 하였다.

9. 용신불현(用神不現)

■ 문서를 언제 받는가?

산화비(山火賁) : 간궁(艮宮)

점일 : 묘(卯)월 임진(壬辰)일

官 寅	━━━	白
財 子	━ ━	螣
兄 戌	━ ━	應 句
財 亥	━━━	朱
兄 丑	━ ━	青
官 卯	━━━	世 玄

오화(午火) 부효(父爻)가 용신(用神)인데 축토(丑土) 아래에 은복(隱伏)되었고 순공(旬空)까지 맞았다. 갑오(甲午)일에 출공(出空)하면 반드시 받을 것이다. 이는 공망(空亡)이 순(旬)을 벗어나는 날 응(應)하기 때문이다. 과연 그러하였다.

■ 도망간 노복을 잡을 수 있는가?

수산건(水山蹇) : 태궁(兌宮)

점일 : 진(辰)월 정사(丁巳)일

孫子	−−		靑
父戌	−−		玄
兄申	−−	世	白
兄申	−−−		騰
官午	−−		句
父辰	−−	應	朱

노복에 대한 점은 재효(財爻)가 용신(用神)이다. 묘목(卯木) 재효(財爻)가 오화(午火) 아래 숨어 있으니 오화(午火)는 비신(飛神)이고, 묘목(卯木)은 복신(伏神)이다. 이 괘(卦)는 신금(申金)이 세효(世爻)에 지세(持世)하여 묘목(卯木) 용신(用神)을 극제(剋制)하므로 끝내는 잡을 수 있다. 그러나 복신(伏神)이 나가 비신(飛神)을 생(生)한다. 이를 설기(洩氣)라고 하는데 재물을 훔쳐가 화로(火

爐)의 집에서 다 없앤다.

 갑자(甲子)일에 잡을 수 있다고 보았는데 과연 갑자(甲子)일에 소식을 들었고, 신(申)시에 잡아 대장장이와 함께 관에 넘겼다. 철을 다루는 대장장이의 집에서 도박으로 재물을 다 없앴다고 하였다. 자(子)일에 응(應)한 것은 오화(午火) 비신(飛神)이 충극(沖剋)되지만 묘목(卯木) 복신(伏神)이 생기(生起)된다. 『황금책(黃金策)』에 말하기를 복(伏)은 끌어주는 것이 없으면 끝내 나올 수 없고, 비신(飛神)도 열리지 않으면 마찬가지라고 하였다.

■ 자식의 병이 언제 낫는가?
지풍승(地風升) : 진목궁(震木宮)
점일 : 유(酉)월 병진(丙辰)일

官酉	▬ ▬	青
父亥	▬ ▬	玄
財丑	▬ ▬ 世	白
官酉	▬▬▬	螣
父亥	▬▬▬	句
財丑	▬ ▬ 應	朱

『황금책(黃金策)』에 말하기를 공망(空亡) 아래의 복신(伏神)은 인발(引拔)되기 쉽다고 하였다. 그러나 이 괘(卦)의 오화(午火) 손

(孫)은 축토(丑土) 아래에 복(伏)되었고, 축토(丑土)가 순공(旬空)
이니 복신(伏神)이 나오기 쉽다. 만약 오(午)일에 손(孫)이 나타나
반드시 낫는다고 보았는데 과연 그때 나왔다. 따라서 용신(用神)이
나타나지 않으면 모두 본궁(本宮) 수괘(首卦)에서 찾는다. 고법(古
法)에서는 대개 8개의 수괘(首卦)에서 용신(用神)이 공파(空破)되
면 또 다른 궁(宮)에서 찾으라고 하였다. 예를 들어 점을 쳐서 건
위천괘(乾爲天卦)를 얻었는데 용신(用神)이 공파쇠절(空破衰絶)되
면 곤궁(坤宮)에서 찾는다. 이것을 건곤(乾坤)이 내왕(來往)한다고
하는 것이다.

■ 아버지의 병환이 언제 좋아지겠는가?

지뢰복(地雷復) : 곤궁(坤宮)
점일 : 묘(卯)월 병진(丙辰)일

孫 酉	▬ ▬	靑
財 亥	▬ ▬	玄
兄 丑	▬ ▬ 應	白
兄 辰	▬ ▬	螣
官 寅	▬ ▬	句
財 子	▬▬▬ 世	朱

부모 용신(用神)이 나타나 있지 않으니 사화(巳火)가 부모다. 2효

인목(寅木) 아래 복(伏)되고 왕목(旺木)이 사화(巳火)를 생(生)하니 비신(飛神)이 생조(生助)한다. 복신(伏神)이 장생(長生)되어 다음날 사(巳)일에 완쾌되었다.

10. 진신(進神)과 퇴신(退神)

진신(進神)과 퇴신(退神)은 효(爻)가 동(動)하여 화(化)할 때 길흉화복이 각 희기(喜忌)에 따라 달라지는 것을 말한다. 좋아하면 진신(進神)으로 화(化)하는 것이 좋고, 싫어하면 퇴신(退神)으로 화(化)하는 것이 좋다.

■ 지방에서 시험을 보는데 합격할 수 있는가?
뇌풍항(雷風恒) → 택풍대과(澤風大過) : 진궁(震宮)
점일 : 신(申)월 계묘(癸卯)일

	財戌 ▬▬	應白
官酉	官申 ▬/▬	螣
	孫午 ▬▬▬	句
	官酉 ▬▬▬	世朱
	父亥 ▬▬▬	靑
	財丑 ▬▬	玄

유금(酉金) 관성(官星)이 지세(持世)하여 왕상(旺相)한데 묘(卯)일의 충(沖)으로 암동(暗動)하고, 또 5효의 관(官)이 진신(進神)으로 화(化)하여 서로 부축하면서 관(官)을 재촉한다. 가을에 합격하고, 다음해인 진(辰)년 봄에는 대과에 합격할 것이다.

■ 언제 자식을 낳는가?

수뢰둔(水雷屯) → 수택절(水澤節) : 감궁(坎宮)

점일 : 유(酉)월 경술(庚戌)일

	兄子	--	螣	
	官戌	—	應句	
	父申	--	朱	
	官辰	--	青	
孫卯	孫寅	-/-	世玄	
	兄子	—	白	

인목(寅木) 손효(孫爻)가 세효(世爻)에서 동(動)하여 진신(進神)으로 화(化)하니 좋은 징조다. 그러나 인목(寅木)이 순공(旬空)을 만났고, 묘목(卯木)도 공망(空亡)이면서 충파(沖破)되었으니 조심해야 한다. 인(寅)년이 오자 묘(卯)월에 아내와 노비에게서 모두 9명의 자식을 얻었다. 고서(古書)에서는 일월(日月)이 동(動)하여 공파(空破)로 화(化)하면 부진하다고 했으나 이 괘(卦)는 순공(旬空)에 화공파(化空破)되었는데도 능히 진(進)하였다.

■ 혼인이 성사되겠는가?

화뢰서합(火雷噬嗑) → 천지비(天地比) : 손궁(巽宮)

점일 : 묘(卯)월 을축(乙丑)일

父子	孫巳	━╋━	玄
財戌	財未	━╱━	世白
官申	官酉	━╋━	騰
	財辰	━ ━	句
	兄寅	━ ━	應朱
財未	父子	━╋━	靑

　재효(財爻)가 지세(持世)하고 진신(進神)으로 화(化)하고 사화(巳火) 손효(孫爻)가 동(動)하여 세(世)를 생(生)한다. 그러나 사화(巳火)가 자수(子水)에게 회두극(回頭剋)을 당하니 반드시 오(午)일에 자수(子水)를 충거(沖去)하면서 오화(午火)가 세효(世爻)와 합세(合世)하는 날 혼인이 성사될 것이다. 과연 오(午)일에 혼인허락이 떨어졌다. 간효(間爻) 유금(酉金) 귀성(鬼星)이 발동했으니 퇴신(退神)이 되는 것 아니냐고 의문을 갖는 사람이 있을 것이다. 그러나 월파(月破)가 퇴신(退神)으로 화(化)했으니 비록 장해가 있어도 무력하여 문제가 되지 않는다.

■ 탄핵이 어떻게 되겠는가?

지수사(地水師) → 지화명이(地火明夷) : 감궁(坎宮)

점일 : 유(酉)월 갑진(甲辰)일

	父酉	——	應玄
	兄亥	——	白
	官丑	——	螣
兄亥	財午	-/-	世句
官丑	官辰	✚	朱
孫卯	孫寅	-/-	青

　세(世)가 회두극(回頭剋)으로 화(化)하고, 관(官)이 퇴신(退神)으로 화(化)하고, 손효(孫爻)가 진신(進神)으로 화(化)하였다. 3효가 모두 길상이 아니니 대흉할 징조로 보았는데 과연 다음해 2월에 감옥에 들어갔다. 고서(古書)에서는 일월(日月)이 동(動)하여 공파(空破)로 화(化)하면 불퇴(不退)라고 했으나, 이 괘(卦)는 관(官)이 동(動)하고 일진(日辰)에 임하였다. 또 일월(日月)에 동(動)하여 공파(空破)로 화(化)하면 불진(不進)이라 했으나, 이 괘(卦)는 자손이 동(動)하며 휴수(休囚)되고 공파(空破)로 화(化)했는데도 진(進)할 것은 진(進)하고 퇴(退)할 것은 퇴(退)하였다.

11. 충중봉합(沖中逢合)과 합처봉충(合處逢沖)

■ 은전을 빌릴 수 있는가?

곤위지(坤爲地) : 곤궁(坤宮)

점일 : 인(寅)월 무술(戊戌)일

```
孫酉   — —   世玄
財亥   — —      白
兄丑   — —      螣
官卯   — —   應句
父巳   — —      朱
兄未   — —      青
```

『황금책(黃金策)』에서는 응효(應爻)가 공망(空亡)에 떨어지면 돈을 빌리려는 사람이 실망한다고 하였다. 이 괘(卦)는 응효(應爻)가 순공(旬空)에 들지만 육충괘(六沖卦)도 되어 허락을 얻지 못하였다. 그러나 묘한 것은 술(戌) 월건(月建)이 응효(應爻)와 합(合)하여 충중봉합(沖中逢合)이 되어 처음에는 어렵지만 나중에는 순조로워지니 반드시 빌릴 수 있다. 손님이 말하기를 전 달에도 빌리러 갔다가 실패했는데 다시 간다고 빌려주겠느냐고 물었다. 전 달에 실패한 것은 육충괘(六沖卦) 때문이고, 지금은 육합괘(六合卦)이니 반드시 빌릴 수 있다고 하였다. 손님이 다시 언제가 좋으냐고 묻길래 묘목(卯木)이 순공(旬空)을 벗어나야 하니 갑인(甲寅)일이 좋다고 일러주었다. 갑인(甲寅)일은 재효(財爻)와 합(合)하는 날이기때문이다.

■ 잃어버린 은을 찾을 수 있는가?

손위풍(巽爲風) → 천수송(天水訟) : 손궁(巽宮)

점일 : 인(寅)월 무술(戊戌)일

```
                   兄卯 ——    世朱
                   孫巳 ——       青
          孫午    財未 -/-       玄
          孫午    官酉 —+—    應白
                   父亥 ——       騰
                   財丑 — —      句
```

육충괘(六沖卦)에 미토(未土) 재효(財爻)가 오화(午火)를 화(化)하여 회두생합(回頭生合)이 되었으니 다시 찾을 수 있는 상이다. 손님이 응효(應爻)에 백호(白虎) 금귀(金鬼)가 있고, 현무(玄武)는 재(財)에 임했으니 찾기 어려운 것 아니냐고 물었다. 응(應)은 타인인데 오화(午火)로 화(化)하여 회두극(回頭剋)으로 제압되고, 재(財)는 용신(用神)인데 충중봉합(沖中逢合)하고, 일진(日辰)은 세효(世爻)와 합(合)하니 반드시 찾을 수 있다. 손님이 다시 언제 찾을 수 있느냐고 물었다. 사화(巳火) 청룡(靑龍) 원신(原神)이 순공(旬空)되었으니 그 병(病)이 사(巳)에 있다. 그러므로 원신(原神)이 출공(出空)하는 날인 을사(乙巳)일에 찾을 수 있다고 보았는데 과연 그러하였다.

■ 결혼이 성사되겠는가?

천지비(天地否) : 건궁(乾宮)

점일 : 진(辰)월 정유(丁酉)일

```
父 戌 ——      應 靑
兄 申 ——         玄
官 午 ——         白
財 寅 ━ ━   世 螣
官 巳 ━ ━      句
父 未 ━ ━      朱
```

육합괘(六合卦)이니 결혼에 가장 좋다. 그러나 세효(世爻)가 일진(日辰)에게 충(沖)되고, 응효(應爻)는 월파(月破)를 당하여 합처봉충(合處逢沖)이 되어 불길하다. 과연 이 달에 스스로 병을 얻었고, 미(未)월에 세(世)와 재(財)도 입묘(入墓)되어 여자가 병으로 사망하였다.

■ 이미 어긋난 결혼인데 다시 성사되겠는가?

이위화(離爲火) → 화산려(火山旅) : 이궁(離宮)

점일 : 미(未)월 정사(丁巳)일

	兄巳	——	世	靑
	孫未	— —		玄
	財酉	——		白
	官亥	——	應	螣
	孫丑	— —		句
孫辰	父卯	—✕—		朱

  육충괘(六沖卦)가 육합괘(六合卦)로 변했으니 흩어졌다가도 다시 이루어지고, 분리될 것 같으면서도 다시 합(合)된다. 또 묘목(卯木)이 동(動)하여 세효(世爻)를 생(生)하니 이 결혼은 일단은 성사된다. 과연 다음해 인오진(寅午辰)월에 다시 결혼하였다. 진(辰)월에 응(應)한 것은 구혼점에서는 재(財)가 용신(用神)인데 육충괘(六沖卦)가 육합괘(六合卦) 재효(財爻)로 변하고, 또 합(合)을 만났기 때문이다. 묘목(卯木)이 동(動)하여 진토(辰土)가 된 것은 점을 칠 당시에 나타난 기미인데 인(寅)년은 응효(應爻)가 암동(暗動)하고 합충(合沖)하는 해이기 때문이다.

12. 사생묘절(四生墓絕)

■ 재물이 언제 들어오는가?

이위화(離爲火) → 뇌화풍(雷火豊) : 이궁(離宮)

점일 : 사(巳)월 무인(戊寅)일

孫 戌	兄 巳	✚	世 朱
	孫 未	▬ ▬	青
	財 酉	▬▬▬	玄
	官 亥	▬▬▬	應 白
	孫 丑	▬ ▬	螣
	父 卯	▬▬▬	句

　유금(酉金) 재효(財爻)가 안정되었으니 묘(卯)일인 내일 반드시
들어온다. 손님이 형효(兄爻)가 동(動)하고 지세(持世)했는데 어떻
게 돈이 들어오냐고 물었다. 형효(兄爻)가 발동했으나 술묘(戌墓)
에 임했으니 극(剋)할 수 없고, 내일 안정된 용신(用神)을 충(沖)
하기 때문에 재(財)가 암동(暗動)하여 가능하다고 일러주었는데
과연 맞았다.

■ 임신할 수 있는가?

산지록(山地剝) → 풍지관(風地觀) : 건궁(乾宮)

점일 : 인(寅)월 무자(戊子)일

```
                    財 寅    ──        朱
        官 巳    孫 子   ─/─    世 青
                    父 戌    ── ──     玄
                    財 卯    ── ──     白
                    官 巳    ── ──   應 騰
                    父 未    ── ──     句
```

　자수(子水) 손효(孫爻)가 동(動)하여 사화(巳火)로 변하였다. 오늘 사(巳)시에 떨어져서 사망할 것이다. 옆에서 역(易)을 안다는 사람이 청룡(靑龍)이 손효(孫爻)에 임했는데 어찌 이렇게 판단하느냐고 물었다. 기다려 보면 맞는지 안 맞는지 알게 될 것이라고 했는데 과연 맞았다. 이 사람은 또 손효(孫爻) 치일(置日)에 청룡(靑龍)까지 있는데 어찌 그렇게 맞출 수 있냐고 물었다. 일진(日辰) 손효(孫爻)는 오늘을 말하고, 사(巳)시는 지금 이 시간을 말한다. 나오자마자 죽은 것은 길신이 절(絕)로 화(化)하고, 또 귀(鬼)로 화(化)하였기 때문이다.

■ 자식의 병이 언제 낫는가?

풍산점(風山漸) → 풍택중부(風澤中浮) : 감궁(坎宮)

점일 : 자(子)월 신미(辛未)일

	官卯	▬▬	應	朱
	父巳	▬▬		青
	兄未	▬ ▬		玄
兄丑	孫申	▬✕▬	世	白
官卯	父午	▬/▬		螣
父巳	兄辰	▬/▬		句

   신금(申金) 손효(孫爻)가 지세(持世)하며 동(動)하여 축토(丑土)로 화(化)했는데 축(丑)에서 묘고(墓庫)가 되었다. 그러나 미(未)일에 충개(沖開)하고 또 일진(日辰)과 발동한 진토(辰土)의 생(生)을 얻으니 금일 오후에 나을 것이다. 과연 맞았다.

■ 친구 아버지의 병환이 어떻게 되겠는가?

수뢰둔(水雷屯) → 진위뢰(震爲雷) : 감궁(坎宮)

점일 : 진(辰)월 갑인(甲寅)일

   손님이 이 괘(卦)를 가지고 와서 신금(申金) 부효(父爻)가 용신(用神)인데 신금(申金)은 인(寅)일에 점지되니 절(絶)이 맞지 않느

	兄子	▬ ▬	玄
父申	官戌	▬▬▬	應白
財午	父申	▬╱▬	螣
	官辰	▬ ▬	句
	孫寅	▬ ▬	世朱
	兄子	▬▬▬	靑

냐고 물었다. 그렇다. 절지(絕地)가 된다. 그러나 술토(戌土) 원신(原神)이 장생(長生)으로 화(化)하여 부모를 생(生)하니 절처봉생(絕處逢生)이 된다. 그리고 그 아버지의 병이 중한데 오늘 오(午)시를 넘기지 못할 것이다. 이 사람은 내 말을 믿지 않고 가더니 후에 오(午)시에 돌아가셨다고 알려주었다.

그는 다시 절처봉생(絕處逢生)이라도 쓸모없는 것 아니냐고 물었다. 절처봉생(絕處逢生)은 위험하다가도 구제된다. 그러나 지금은 신금(申金)이 인(寅)일에서 절지(絕地)가 되고, 인(寅)일이 오화(午火)를 생조(生助)하여 회두극(回頭剋)이 되므로 좋지 않다. 술토(戌土)가 신금(申金)을 생(生)하는 것은 좋다고 할 수 있으나, 술토(戌土)가 월파(月破)되어 생부(生扶)할 힘이 없다. 따라서 비록 신(申)에서 장생(長生)한다 해도 신(申)이 일진(日辰)의 충(沖)을 받고, 또 인(寅)일에 절지(絕地)가 되므로 흉하다.

■ 시누이의 병환이 어떻게 되겠는가?

택산함(澤山咸) → 수산건(水山蹇) : 태궁(兌宮)

점일 : 해(亥)월 병인(丙寅)일

```
          父未  ▬ ▬   應青
          兄酉  ▬▬▬     玄
    兄申   孫亥  ━┼━     白
          兄申  ▬▬▬   世螣
          官午  ▬ ▬     句
          父辰  ▬ ▬     辰
```

　시누이는 남편의 남매이니 관귀효(官鬼爻)가 용신(用神)이다. 지금 오화(午火) 관효(官爻)가 일진(日辰)에서 장생(長生)하나 해수(亥水)가 극(剋)하니 좋지 않다. 해수(亥水)가 동(動)하여 장생(長生)으로 변하고, 또 신금(申金)으로 동출(動出)하여 수(水)를 도와 극(剋)하니 이 병으로 반드시 죽는다. 후에 을해(乙亥)일에 사망하였다. 을해(乙亥)일에 응(應)한 것은 해수(亥水)가 순공(旬空)이 되어 공망(空亡)을 벗어나는 날이기 때문이다.

■ 제수가 병이 있는데 순산할 수 있는가?

택수곤(澤水困) → 감위수(坎爲水) : 태궁(兌宮)

점일 : 묘(卯)월 을미(乙未)일

		父未	— —		玄
		兄酉	——		白
兄申		孫亥	✕	應	螣
		官午	— —		句
		父辰	——		朱
		財寅	— —	世	靑

　제수는 아우의 아내이니 재효(財爻)가 용신(用神)이다. 지금 인목 (寅木) 재효(財爻)가 미(未)일에 묘고(墓庫)되니 병이 되었다. 해 수(亥水)가 신금(申金)으로 화(化)하여 장생(長生)을 얻고 생합(生 合財爻)하니 평안할 것이다. 손님이 언제 아이를 낳느냐고 물었다. 해수(亥水)가 동(動)하고 신(申)으로 화(化)하고 합세(合世)하는 내일 낳는다. 과연 다음날 순산하였고, 출산 후 구병(久病)도 모두 완쾌되었다.

13. 육충(六沖)과 육합(六合)

　육충괘(六沖卦)가 일진(日辰)과 상합(相合)되거나 변효(變爻)가 상합(相合)되면 충중봉합(中沖逢合)이라 하고, 육합괘(六合卦)가 일진(日辰)과 상충(相沖)되거나 변효(變爻)와 상충(相沖)되면 합처봉충(合處逢沖)이라 한다. 그리고 기신(忌神)을 충(沖)하고 용신(用神)을 합(合)하면 거살유은(去煞留恩)이라 하여 만사가 길하고, 용신(用神)을 충(沖)하고 기신(忌神)을 합(合)하면 거살해명(去煞害命)이라 하여 만사가 흉하다.

■ 시험에 합격하겠는가?

풍지관(風地觀) → 천지비(天地否) : 건궁(乾宮)
점일 : 진(辰)월 경오(庚午)일

```
              財卯  ——      螣
              官巳  ——      句
      官午    父未  —/—  世  朱
              財卯  — —     靑
              官巳  — —     玄
              父未  — —     白
```

미(未)가 문서에 세(世)가 임했는데 화(化)하여 일진(日辰) 오화(午火) 관성(官星)으로 다시 생합(生合)하였다. 일등으로 합격할 것이라고 보았는데 과연 적중하였다.

■ 자식이 병에 걸린 지 오래되었는데 낫겠는가?

뇌천대장(雷天大壯) : 곤궁(坤宮)

점일 : 인(寅)월 갑오(甲午)일

兄戌	▬ ▬	玄
孫申	▬ ▬	白
父午	▬▬▬	世 螣
兄辰	▬▬▬	句
官寅	▬▬▬	朱
財子	▬▬▬	應 靑

구병(久病)에 육충(六沖)이 있으면 죽는다. 신금(申金) 손효(孫爻) 용신(用神)이 월파(月破)되고, 오화(午火) 일진(日辰)이 세효(世爻)가 되어 용신(用神)을 극(剋)한다. 따라서 오늘은 당연히 흉하나 자수(子水)가 암동(暗動)하여 화(火)를 제(制)하니 오늘은 죽지 않고, 내일 자수(子水)가 극(剋)을 받으면 기신(忌神)이 합(合)을 만나니 위험하다. 과연 다음날 진(辰)시에 사망하였다.

■ 뒤쫓아가서 편지를 맡기려고 하는데 만날 수 있는가?

천지비(天地否) : 건궁(乾宮)

점일 : 묘(卯)월 갑오(甲午)일

```
父 戌 ——      應 玄
兄 申 ——         白
官 午 ——         螣
財 卯 ——  世 句
官 巳 ——      朱
父 未 ——      青
```

　육합(六合)이 있으니 범사를 모두 이룰 수 있다. 내일 미(未)시에 청명(淸明)으로 바뀌니 이 밤에 쫓아가면 반드시 만날 수 있다. 그러나 청명(淸明) 월건(月建)은 진(辰)이 응효(應爻)에게 충(沖)되어 흩어지니 만날 수 없다. 과연 쫓아갔으나 다음날 배를 타고 떠나버렸다.

■ 고향사람에게 돈을 빌릴 수 있는가?

지뢰복(地雷復) → 뇌지예(雷地豫) : 곤궁(坤宮)

점일 : 사(巳)월 갑술(甲戌)일

	孫酉	▬ ▬	玄	
	財亥	▬ ▬	白	
父午	兄丑	▬/▬	應 螣	
	兄辰	▬ ▬	句	
	官寅	▬ ▬	朱	
兄未	財子	▬▬▬	世 青	

　육합괘(六合卦)가 변하여 다시 육합괘(六合卦)가 되었으니 도모하는 일을 쉽게 이룰 수 있고 오래도록 동화할 수 있다. 다만 해수(亥水) 재효(財爻)가 월파(月破)되고, 유금(酉金) 원신(原神)이 순공(旬空)되고, 세(世)에 자수(子水) 재효(財爻)가 미토(未土)로 변하여 회두극(回頭剋)이 되고, 또 일진(日辰)이 진토(辰土)를 암동(暗動)시켜 자수(子水)를 극(剋)하고, 진토(辰土) 응효(應爻)를 생부(生扶)하니 극(剋)이 지나치다. 따라서 돈을 빌리는 일로 반드시 불칙한 화를 당할 것이다. 손님이 어제 친구가 같이 가기로 약속했는데 혹시 허락하지 않는 것 아니냐고 물었다. 그 친구가 어디 사는 사람이냐고 물으니 광동사람이라고 하길래 같이 가지말라고 하였다. 결국 돈을 빌리러 나섰다가 몇 리 못가서 상해를 당하였다.

■ 스승을 초대하여 자식에게 공부를 가르칠 수 있는가?

천지비(天地否) → 건위천(乾爲天) : 건궁(乾宮)

점일 : 사(巳)월 갑신(甲申)일

	父 戌	——	應	玄
	兄 申	——		白
	官 午	——		螣
父 辰	財 卯	—/—	世	勾
財 寅	官 巳	—/—		朱
孫 子	父 未	—/—		靑

　응효(應爻)가 용신(用神)인데 술부(戌父)가 임했으니 가르칠 수 있다. 그러나 육합괘(六合卦)가 육충괘(六沖卦)로 변했으니 무슨 일이 생겨 오래 가지 못할 것이다. 손님이 무슨 일이 생기냐고 물었다. 초효(初爻) 미토(未土) 부모가 자수(子水)로 변하고, 손효(孫爻)가 순공(旬空)되어 부효(父爻)가 동(動)하여 수(水)를 극(剋)하니 자손에게 재앙이 생길 것이다. 그후 오(午)월에 자수(子水)가 월파(月破)될 때 자식이 병에 걸렸고, 스승이 사양하고 떠났다.

14. 삼형(三刑)과 육해(六害)

　삼형(三刑)은 용신(用神)이 휴수(休囚)되었는데 다른 효(爻)의 극

(剋)을 받는 것을 말한다. 만일 삼형(三刑)을 범하면 흉재로 본다. 그러나 삼형(三刑)이 모두 있어도 동(動)하지 않고 용신(用神)도 손상되지 않으면 영향이 없다.

■ 남편의 병환이 어떻게 되겠는가?

이위화(離爲火) → 산뢰이(山雷夷) : 이궁(離宮)

점일 : 진(辰)월 무오(戊午)일

```
              兄巳 ━━━      世朱
              孫未 ━ ━      青
      孫戌   財酉 ━╋━      玄
      孫辰   官亥 ━╋━   應白
              孫丑 ━ ━      騰
              父卯 ━━━      句
```

해수(亥水) 관성(官星)이 용신(用神)인데 유금(酉金)이 회두생(回頭生)으로 해수(亥水)를 생(生)한다. 그러나 해수(亥水)가 묘고(墓庫)로 변하여 월건(月建)에서 회두극(回頭剋)이 되니 좋지 않다. 또 오(午)일과 진오유해(辰午酉亥) 자형(自刑)이 모두 당일에 있으니 흉하다. 과연 당일에 사망하였다.

■ 첩이 아픈데 어떻게 되겠는가?

손위풍(巽爲風) → 화천대유(火天大有) : 손궁(巽宮)

점일 : 해(亥)월 무술(戊戌)일

```
                    兄卯  ——      世朱

          財未    孫巳  —+—        青

          官酉    財未  —/—        玄

                    官酉  ——      應白

                    父亥  ——        螣

          父子    財丑  —/—        句
```

미토(未土) 재효(財爻)가 용신(用神)이다. 유금(酉金) 관성(官星)으로 화(化)한 것이 좋지 않다. 더 흉한 것은 사화(巳火) 원신(原神)이 순공(旬空)되며 월파(月破)되고, 사화(巳火)가 또 일진(日辰)에서 묘고(墓庫)가 되었고, 또 축술미(丑戌未) 삼형(三刑)이 모두 작용하니 길조라고는 전혀 보이지 않는다. 당일을 조심하라고 했는데 과연 당일 미(未)시에 사망하였다.

■ 겨울에 장사를 하려는데 잘 되겠는가?

산화비(山火賁) → 풍화가인(風火家人) : 간궁(艮宮)

점일 : 술(戌)월 경자(庚子)일

	官寅	━━	螣
父巳	財子	━/━	句
	兄戌	━ ━	應朱
	財亥	━━	青
	兄丑	━ ━	玄
	官卯	━━	世白

묘목(卯木)이 지세(持世)하고 월건(月建)과 합(合)되고 월건(月建)은 생(生)하니 이번 겨울에는 반드시 큰 이익을 얻으리라. 손님이 자(子)일과 자효(子爻)가 세효(世爻)와 형(刑)되는데 어떻게 길하냐고 물었다. 괘(卦)를 볼 때는 세응(世應) 생극(生剋)이 가장 중요하다. 지금은 형(刑)이라도 생(生)을 띠니 탐생망형(貪生忘刑)이라고 했는데 과연 겨울에 큰 이익을 보았다.

15. 진정(盡靜)과 진발(盡發)

육효(六爻)가 안정되었는데 일진(日辰)의 생(生)도 없고 효(爻)를 충(沖)하지도 않으면 진정(盡靜)이라 하고, 육효(六爻)가 모두 동(動)하면 진발(盡發)이라고 한다. 진정(盡靜)이란 봄꽃이 봉우리를 맺었으나 그 묘함을 보지 못하다가 한 번의 비와 이슬을 만나 활연히 피는 것과 같고, 진발(盡發)이란 백화가 다 피어 사람마다 그

요염함을 즐기다 한 번의 광풍을 만나 모두 떨어져 버리는 것과 같다. 따라서 정(靜)은 아름다움이 오래 가나 동(動)하면 항상 허물이 있다.

■ 최근에 노복이 집을 나갔는데 언제 돌아오는가?

이위화(離爲火) : 이궁(離宮)

점일 : 오(午)월 경진(庚辰)일

```
兄巳    ——      世 螣
孫未    – –       句
財酉    ——      朱
官亥    ——    應 青
孫丑    – –       玄
父卯    ——      白
```

유금(酉金) 재효(財爻)가 용신(用神)인데 월건(月建)이 극(剋)하고 일진(日辰)은 생(生)하니 적을 상대할 만하며, 달리 생극(生剋)을 더한 것이 없다. 유금(酉金) 용신(用神)이 순공(旬空)되고 일진(日辰)과 합(合)되었으니 신(神)의 기미가 여기 드러나 있다. 그러나 순공(旬空)은 반드시 출순(出旬) 합공(合空)되는 것을 기다려야 한다. 비록 반용(半用)하더라도 반드시 충발(衝發)을 기다려야 하니 소서(小署)로 바뀌는 신묘(辛卯)일에 유금(酉金)이 치순(置旬)

불공(不空)하니 충발(衝發)하여 반드시 돌아온다. 과연 신묘(辛卯)일에 집으로 돌아왔다. 이것은 정(靜)한 것은 충(沖)을 만나고, 합(合)은 충(沖)을 만나며, 공망(空亡)은 출공(出空)되었기 때문에 응(應)한 것이다.

■ 오늘 돈을 갖고 돌아오는 사람이 있는가?

곤위지(坤爲地) : 곤궁(坤宮)

점일 : 진(辰)월 기묘(己卯)일

孫酉	— —	世	句
財亥	— —		朱
兄丑	— —		靑
官卯	— —	應	玄
父巳	— —		白
兄未	— —		螣

유금(酉金) 원신(原神)이 순공(旬空)되고 일진(日辰)의 충(沖)을 만났다. 정효(靜爻)가 일진(日辰)에 충기(沖起)되고, 앞으로 일진(日辰)이 응(應)에 임하며 충세(沖世)하므로 반드시 오늘 사(巳)시에 돌려준다. 과연 당일 사(巳)시에 반이 왔고, 을유(乙酉)일 사(巳)시에 반이 왔다. 정공(靜空)을 충기(沖起)한 힘이 반밖에 되지 않아 재(財)도 역시 반밖에 오지 않은 것이다. 을유(乙酉)일에 말

끔히 해결된 것은 이미 충기(沖起)를 거친 신(神)의 치일(置日)이기 때문이다. 이것은 재(財)의 원신(原神)이 충분히 메꿔졌기 때문이다. 손효(孫爻)는 희열의 신(神)이니 깨끗이 돌려받은 것이다.

■ 아버지가 난군(亂軍)에게 잡혔는데 무사하신가?

산천대축(山天大畜) → 택지췌(澤地萃) : 간궁(艮宮)

점일 : 자(子)월 임신(壬申)일

兄未	官寅	━━╋━━	白
孫酉	財子	━━╱━━	應 螣
財亥	兄戌	━━╱━━	句
官卯	兄辰	━━╋━━	朱
父巳	官寅	━━╋━━	世 靑
兄未	財子	━━╋━━	玄

육효(六爻)가 난동을 했다. 동(動)하여 화(化)한 사화(巳火) 부효(父爻)를 용신(用神)으로 삼는데, 월건(月建)이 극(剋)하고 인목(寅木) 원신(原神)은 또 일진(日辰)에 충극(沖剋)을 당하므로 목숨을 지키지 못하겠다. 과연 후에 사망했는데 종적을 알 수 없었다.

■ 부모님의 묘를 만들려고 하는데 괜찮은가?

건위천(乾爲天) → 곤위지(坤爲地) : 건궁(乾宮)

점일 : 진(辰)월 갑자(甲子)일

兄酉	父戌	━━	世玄
孫亥	兄申	━━	白
父丑	官午	━━	螣
財卯	父辰	━━	應句
官巳	財寅	━━	朱
父未	孫子	━━	青

이 괘(卦)는 매우 흉하다. 이미 묘를 조성했으나 때맞춰 금정낙장 (金井落葬)을 하려는데 점을 쳐서 결정할 것이라고 한다. 극력 말 렸는데 그 자리를 판단한 사람이 소식을 전해왔다. 혈장(穴場) 아 래에 큰 돌무더기가 수도 없이 많아 점혈(點穴)할 곳도 없다고 하 였다. 후에 지관이 보더니 배수지석(背水地石)이라 묘지가 될 수 없다고 하였다.

16. 독정(獨靜)과 독발(獨發)

오효(五爻)는 모두 동(動)하고 오직 한 효(爻)만 안정되어 있으면 독정(獨靜)이라 하고, 오효(五爻)는 모두 안정되어 있는데 오직 한

효(爻)만 동(動)하면 독발(獨發)이라 한다. 만약 괘(卦) 중에서 한 효(爻)는 명동(明動)하고 한 효(爻)는 암동(暗動)하면 독발(獨發)이라 하지 않고, 육효(六爻)가 안정되어 있는데 한 효(爻)가 일진(日辰)과 충동(沖動)하면 독발(獨發)이라 한다. 그러나 독정(獨靜)과 독발(獨發)은 단지 일의 성패에 대한 지속을 볼뿐 길흉은 용신(用神)으로 판단한다.

■ 아버지를 찾을 수 있는가?

화천대유(火天大有) → 이위화(離爲火) : 건궁(乾宮)
점일 : 오(午)월 병오(丙午)일

	官巳	──	應青
	父未	▬▬	玄
	兄酉	──	白
	父辰	──	世螣
父丑	財寅	✚	句
	孫子	──	朱

역(易)을 잘 아는 친구가 아버지 문제를 물었다. 이 괘(卦)를 보더니 인목(寅木) 한 효(爻)가 독발(獨發)했으니 정월(正月)에 만날 수 있지 않느냐고 물었다. 괘(卦) 중에 부효(父爻)가 지세(持世)하고 인목(寅木)을 극제(剋制)를 받았으니 본인도 움직일 수 없고 아

버지도 만날 수 없다. 몸을 움직여 아버지를 보려면 반드시 인목(寅木)을 충개(沖開)하는 년월(年月)을 기다려야 한다. 다시 아버지가 편안하신지 점을 쳐보았다.

■ 아버지가 편안하신가?

택화혁(澤火革) → 수화기제(水火旣濟) : 감궁(坎宮)

점일 : 오(午)월 병오(丙午)일

	官 未	— —		青
	父 酉	——		玄
父 申	兄 亥	╪	世	白
	兄 亥	——		螣
	官 丑	— —		句
	孫 卯	——	應	朱

이 괘(卦)는 앞 괘(卦)와 합(合)을 한다. 앞 괘(卦)는 인목(寅木)을 충개(沖開)하는 신(神)에 응(應)한다고 하더니, 세효(世爻)가 동(動)하여 신금(申金)으로 화(化)하여 회두생(回頭生)이 되었으니 역시 신(神)에 응할 것이다. 과연 신(申)년 8월에 아버지를 찾아 집으로 모셔왔다. 신(申)년에 응(應)한 것은 앞 괘(卦)에서는 기신(忌神)을 충거(沖去)하기 때문이고, 이 괘(卦)는 신금(申金) 부모 용신(用神)을 화출(化出)하여 세(世)를 생(生)하기 때문이다.

■ 언제 광산에서 석탄을 볼 수 있는가?

풍화가인(風火家人) → 풍뢰익(風雷益) : 손궁(巽宮)

점일 : 신(申)월 갑오(甲午)일

```
                  兄卯  ——         玄
                  孫巳  ——      應 白
                  財未  ----        螣
        財辰       父亥  ——+─      句
                  財丑  ----    世 朱
                  兄卯  ——         青
```

　진토(辰土) 재효(財爻)가 용신(用神)인데 해수(亥水)가 독발(獨發)하여 화출(化出)했으니 진(辰)월에 볼 수 있다. 과연 다음해 청명(淸明) 후에 석탄을 볼 수 있었다. 이것은 독발(獨發)이 화출(化出)하여 용신(用神)에 응(應)한 것이다.

■ 먼 곳에 가신 아버지가 언제 돌아오시는가?

천산둔(天山遯) → 뇌택귀매(雷澤歸妹) : 건궁(乾宮)

점일 : 인(寅)월 갑진(甲辰)일

　외괘(外卦)가 복음(伏吟)되었으니 밖에 있으면 우환과 근심이 있을 상이다. 손님이 해가 없겠느냐고 물었다. 내괘(內卦)의 진토(辰

父戌	父戌	✕	玄
兄申	兄申	✕	應白
	官午	—	螣
父丑	兄申	✕	句
財卯	官午	-/- 世	朱
官巳	父辰	-/-	青

土) 부모가 사화(巳火)를 화(化)하여 회두생(回頭生)이 되고, 세효(世爻) 오화(午火) 관성(官星)은 화(化)하여 묘목(卯木)으로 회두생(回頭生)이 되니 무해할 것이다. 사효(四爻) 오화(午火)가 독정(獨靜)했으니 오(午)월에는 반드시 돌아온다. 후에 진사(辰巳)월에 호광(湖廣)에서 장사를 하셨는데 예기치 않은 병란(兵亂)으로 성(城)에 있다가 병란(兵亂)이 끝난 오(午)월에 돌아오셨다.

17. 용신다현(用神多現)

용신(用神)이 많이 나타나 있을 때는 한가한 효(爻)를 버리고 지세(持世)한 것을 쓰고, 권한이 없는 것을 버리고 일월(日月)을 쓰고, 안정된 것을 버리고 동(動)한 효(爻)를 쓰고, 파(破)하지 않은 것은 버리고 월파(月破)된 것을 쓰고, 공망(空亡)이 아닌 것을 버리고 순공(旬空)에 든 것을 쓴다. 천기(天氣)는 병(病)이 있는 것에서 다 드러나니 판단하는 법은 모두 의약처에 있다.

■ 재물을 얻을 수 있는가?

천풍소축(風天小畜) : 손궁(巽宮)

점일 : 미(未)월 경자(庚子)일

```
兄卯 ——        螣
孫巳 ——        句
財未 — —  應朱
財辰 ——        青
兄寅 ——        玄
父子 ——  世白
```

 응효(應爻)가 월건(月建)의 재(財)로 극세(剋世)하니 반드시 얻으
리라. 손님이 언제 얻느냐고 물었다. 다음날 신축(辛丑)일에 미토
(未土)를 충동(沖動)할 때다. 그러나 후에 오히려 진토(辰土)가 출
공(出空)하는 날 얻었다. 이것은 공망(空亡)이 아닌 것을 버리고
순공(旬空)을 쓴 것이다.

■ 승진할 수 있는가?

지수사(地水師) → 풍수환(風水渙) : 감궁(坎宮)

점일 : 미(未)월 갑오(甲午)일

孫卯	父酉	—/—	應 玄
財巳	兄亥	—/—	白
	官丑	— —	螣
	財午	— —	世 句
	官辰	——	朱
	孫寅	— —	靑

　세효(世爻)가 극왕(剋旺)하고 월건(月建)이 관성(官星)이 되면서 세(世)와 합(合)한다. 그러나 괘(卦) 중에 관성(官星)이 2개인데 하나는 공망(空亡)되고 하나는 파(破)되니 어느 효(爻)를 용신(用神)으로 할 것인가. 금년이 묘(卯)년이니 진(辰)년에 승진할 것이다. 다만 외괘(外卦)가 반음(反吟)이라 갔다가 다시 온다. 진(辰)년에 승진하여 하남으로 갔다가 오(午)월에 다시 돌아와 해(亥)월에 초(楚)로 돌아왔으니 일 년에 2번이나 움직였다. 이는 모두 실공(實空)의 해에 응(應)하였기 때문이다.

■ 자식이 위험한데 어떻게 되겠는가?

뇌지예(雷地豫) → 뇌택귀매(雷澤歸妹) : 진궁(震宮)

점일 : 해(亥)월 병오(丙午)일

	財戌	▬ ▬	靑
	官申	▬ ▬	玄
	孫午	▬▬▬	應白
	兄卯	▬ ▬	螣
兄卯	孫巳	▬/▬	句
孫巳	財未	▬/▬	世朱

이 괘(卦)는 손효(孫爻)가 3개인데 모두 세(世)를 생(生)하고, 오화(午火)는 일진(日辰)을 만나 안정되며, 2개의 사화(巳火)는 월파(月破)를 만났다. 실파(實破)되는 사(巳)년이 되어야 위험에서 벗어날 수 있다. 과연 사(巳)년에 위험에서 벗어났다. 이것은 용신(用神)이 3개일 때는 월파(月破)를 쓰기 때문이다.

■ 자식이 집을 나간 지 오래되었는데 언제 돌아오는가?

화풍정(火風鼎) → 수천수(水天需) : 이궁(離宮)

점일 : 미(未)월 정축(丁丑)일

官子	兄巳	┼		靑
孫戌	孫未	⚊/⚊	應	玄
財申	財酉	┼		白
	財酉	⚊⚊		螣
	官亥	⚊⚊	世	句
官子	孫丑	⚊/⚊		朱

　미토(未土)가 진신(進神)으로 화(化)하고, 일진(日辰)에 충(沖)되며, 축토(丑土)는 화(化)한 자수(子水)와 합주(合住)되고, 사화(巳火) 원신(原神)이 동(動)하여 용신(用神)을 생(生)한다. 그러나 자수(子水)를 화(化)하여 회두극제(回頭剋制) 당하니 지금은 오지 않고, 오(午)년이 되면 반드시 돌아올 것이다. 과연 오(午)월에 돌아왔다. 오(午) 년월에 응(應)한 것은 미토(未土)가 동(動)하나 일진(日辰)이 충(沖)되어 동충봉합(動沖逢合)의 년월이 되었기 때문이고, 또 축토(丑土)는 자수(子水)와 합(合)하니 충개(沖開)하는 년월이 되었기 때문이고, 사화(巳火)는 자수(子水)의 극(剋)을 받으므로 자수(子水)를 충거(沖去)하여 거살유은(去煞留恩)이 되었기 때문이다.

18. 정명(精明)과 불험(不驗)

 자신의 문제를 다른 사람에게 대신 점치게 하면 안 된다. 왜냐하면 자신에게도 생각이 있고 다른 사람에게도 생각이 있기 때문이다. 마음이 둘이니 어찌 효과가 있겠는가.

■ 재앙이 따르는가?
수지비(水地比) → 택산함(澤山咸) : 곤궁(坤宮)
점일 : 묘(卯)월 무술(戊戌)일

	財子	▬ ▬	應	朱
	兄戌	▬▬▬		靑
財亥	孫申	▬/▬		玄
孫申	官卯	▬/▬	世	白
	父巳	▬ ▬		螣
	兄未	▬ ▬		句

 이 괘(卦)는 만약 본인의 생각으로 방해점으로 판단한다면 손효(孫爻)가 세(世)를 극(剋)하니 가장 기쁘고, 신변의 귀(鬼)를 충거(沖去)하니 걱정이 없을 것이다. 만약 가인(家人)이 주인을 위해 점을 쳤다면 부모가 용신(用神)이나 관(官)도 같이 용신(用神)으로 삼아야 한다. 지금 사화(巳火) 부효(父爻)가 공망(空亡)되고, 술

(戌)일에 묘(墓)가 되며, 묘관(墓官)이 비록 월건(月建)에 임하나 금(金)을 이기지 못한다. 지금은 그래도 무방하나 가을이 오면 어찌 험액을 피하겠는가.

그러나 이 괘(卦)는 본 관(官)이 자기의 점에 응(應)한 것이 아니기 때문에 세효(世爻)가 용신(用神)이 되어 손효(孫爻)가 극세(剋世)하면 그 근심이 풀어진다. 과연 신(申)일에 소식을 들었는데 어떤 사람이 부(部)에서 와서 알려줘 권하는 것에 그쳤다.

만약 가인(家人)이 주인을 점친 것으로 판단한다면 어찌 맞을 수 있겠는가. 비록 맞았다고 해도 이런 괘(卦)를 정법(定法)으로 생각하면 안 된다. 간혹 주인의 생극(生剋)에 응(應)하지 않고 가인(家人)의 생각에 응(應)하기 때문에 내 일은 반드시 내가 점을 쳐야 한다. 다른 사람에게 대신 보게 하면 용신(用神)을 잡기 어렵기 때문에 정확하다고 볼 수 없다.

저 사람이 성심으로 특별히 신(神)에게 물으려고 하는데 나에게 먼저 점을 치라면서 양보한다면 나는 양보하겠지만 신도 양보할지 의문이다. 내가 품은 마음이 이미 있으니 그 사람에게 먼저 점치게 양보했어도 신은 반드시 그 사람의 점에 나의 일을 응(應)하게 할 것이다.

■ 공명(功名)을 얻을 수 있는가?

택지췌(澤地萃) → 천산둔(天山遯) : 태궁(兌宮)

점일 : 오(午)월 신유(辛酉)일

父戌	父未	—/—	螣
	兄酉	——	句
	孫亥	——	世 朱
兄申	財卯	—/—	青
	官巳	— —	玄
	父未	— —	應 白

한 아버지가 12살짜리 아들이 장래에 공명(功名)을 얻겠느냐고 물었다. 관성(官星)이 지세(持世)하여 여름에 당왕(當旺)하고, 미토(未土) 부효(父爻)가 문장(文章)이 되어 부효(父爻)가 진신(進神)으로 화(化)하니 공명(功名)을 기대할 수 있다. 그러나 이 괘(卦)는 아버지가 대신 점을 치면서 아버지의 마음이 일으킨 것이다. 그래서 부효(父爻)가 동(動)하여 극자(剋子)하고, 형효(兄爻)가 동(動)하여 상처(傷妻)했으니, 아내가 신(申)월에 죽고 자식도 미(未)년에 죽었다. 미(未)년에 자식이 죽은 것은 미토(未土) 부효(父爻)가 동(動)했는데 미(未)년이 되자 극자(剋子)하였기 때문이고, 신(申)월에 아내가 죽은 것은 묘목(卯木) 재효(財爻)가 신(申)에서 절지(絶地)가 되었기 때문이다.

■ 유년점(流年占)

간위산(艮爲山) : 간궁(艮宮)

점일 : 미(未)월 계해(癸亥)일

```
官寅  ——    世白
財子  — —      螣
兄戌  — —      句
孫申  ——    應朱
父午  — —      靑
兄辰  — —      玄
```

　이 사람은 입대하기 전에 유년점(流年占)을 치면서 공명(功名)이 있겠는가를 물었다. 그러니 유년점(流年占)은 드러나나 공명점(功名占)은 분명하지가 않다. 관(官)은 관(官)을 위한 것이므로 관성(官星)이 지세(持世)하는 것이 가장 좋다. 그러나 유년점(流年占)에서는 관(官)이 귀(鬼)가 되므로 관귀(官鬼)가 지세(持世)하면 좋지 않다. 이런 이치를 설명해 주니 손님이 말하기를 실은 임관하는 데 도움이 될까 해서 점을 친 것이라고 하였다.

　이 괘(卦)는 관성(官星)이 지세(持世)하고 해(亥)일에 장생(長生)하니 일을 이미 이루었다. 해수(亥水)는 재(財)가 되니 분명한 재왕생관(財旺生官)이다. 신(申)일에 문서를 받을 것이라고 보았는데 과연 그러하였다. 신(申)일에 응(應)한 것은 인목(寅木) 관성(官

星)이 지세(持世)하고 정(靜)하니 충(沖)을 만나는 날이기 때문이다. 만약 유년점(流年占)으로 보고 귀(鬼)로 단정했다면 맞지 않았을 것이니 어찌 임관할 수 있었을 것인가.

■ 재임 중의 길흉이 어떤가?

수천수(水天需) : 곤궁(坤宮)

점일 : 자(子)월 을유(乙酉)일

財子	--		玄
兄戌	—		白
孫申	--	世	螣
兄辰	—		句
官寅	—		朱
財子	—	應	靑

이 사람은 본 성(省)에 자리가 생겼는데 얻을 수 있느냐고 물었다. 손효(孫爻)가 세효(世爻)에 임하였다. 길흉점에서는 손효(孫爻)가 세(世)에 임하면 복덕으로 보니 편안하다. 그러나 승진이나 영전을 원하는 점에서는 점의 목적이 다르고, 용신(用神)이 달라지면 전혀 다른 답이 나온다. 따라서 작괘(作卦)하기 전에 먼저 점을 치는 목적과 용신(用神)을 알고 충분한 의사소통이 이루어져야 한다.

■ 어머니의 병환이 어떻게 되겠는가?

풍뢰익(風雷益) → 천뢰무망(天雷无妄) : 손궁(巽宮)

점일 : 오(午)월 신축(辛丑)일

	兄卯	──	應 螣
	孫巳	──	句
孫午	財未	─/─	朱
	財辰	── ──	世 靑
	兄寅	── ──	玄
	父子	──	白

　매매하는 사람이 유년점(流年占)을 칠 때는 재효(財爻)가 중요하다. 이 괘(卦)를 보면 왕(旺)한 재(財)가 지세(持世)하고, 미토(未土)와 재(財)가 동(動)하여 오화(午火)로 화(化)하여 생합(生合)된다. 즉 발재(發財)는 허락한다는 것이다. 그러나 만약 어머니의 병점(病占)으로 본다면 재효(財爻)가 동(動)하는 것을 가장 꺼린다. 재(財)가 동(動)하면 극모(剋母)하기 때문이다. 어머니가 갑진(甲辰)일에 돌아가셨는데 진토(辰土)가 출공(出空)할 때 응(應)한 것이다. 유년점(流年占)이나 월령점(月令占)을 칠 때 이러한 이치를 알면 잘못됨이 없을 것이다. 만약 이 괘(卦)를 보고 발재(發財)한다고 판단한다면 어찌 맞겠는가.

제4장. 실전편

1. 실전해설

1. 동효(動爻)

동효(動爻)는 일의 시작을 의미하고, 변효(變爻)는 마무리를 의미한다. 따라서 변효(變爻)가 동효(動爻)를 생(生)하면 좋으나, 변효(變爻)가 동효(動爻)를 극(剋)하면 회두극(回頭剋)이 되어 불길하다. 동효(動爻)는 일진(日辰)이나 월건(月建)과 더불어 힘이 강하므로 용신(用神)이나 다른 효(爻)를 능히 생극(生剋)할 수 있다. 동효(動爻)는 일진(日辰)이나 월건(月建)의 생(生)을 받으면 훨씬 강성해진다.

2. 육친발동(六親發動)

1) 부효동(父爻動)

부효(父爻)가 동(動)하면 손효(孫爻)를 극(剋)하므로 자손을 위한 점에서는 자손에게 액이 따르는 것으로 본다. 병점(病占)에서는 약효가 없고, 매매점에서는 힘만 허비할 뿐 이익이 없고, 대인점에서는 소식이 오고, 송사점에서는 소장이 취하되고, 벼슬점에서는 과거수가 있고, 실물과 도망점에서는 찾기 힘들다.

2) 손효동(孫爻動)

손효(孫爻)가 동(動)하면 관(官)을 상하게 하므로 구관구직에는 매우 불길하다. 귀(鬼)가 무력해지므로 병점(病占)에서는 매우 길하고, 행인점(行人占)에서는 몸이 편안하고, 매매점에서도 좋다. 손효(孫爻)가 재(財)를 생(生)하기 때문이다. 혼인점에서는 좋은 인연을 만나고, 산모점에서는 순산하며 유아가 건강하고, 소송점에서는 서로 화해한다. 그러나 귀인(貴人)을 만나고 명리(名利)를 구하는 일에는 좋지 않다.

3) 관귀동(官鬼動)

관귀(官鬼)는 형효(兄爻)를 극(剋)하는 성질이 있으므로 관귀(官鬼)가 동(動)하면 형제 자매를 위한 점에는 아주 불리하다. 혼인점에서는 말썽이 생기고, 병점(病占)에서는 병이 악화되어 생명이 위험하고, 출행점에서는 불리하고, 소송점에서는 관액이 따르고, 매매점에서는 손해가 있고, 재물점에서는 실물하기 쉽고, 실물점에서는 찾기 어렵다.

4) 재효동(財爻動)

재효(財爻)는 문서를 극(剋)하는 성질이 있으므로 과거에 응시하거나 명리(名利)를 구하는 점에서는 아주 불길하다. 그러나 재효(財爻)가 동(動)하면 사업이나 재물을 구하는 일에는 아주 좋다. 병점(病占)에서는 병이 악화되고, 출행한 사람은 자리를 옮기고, 실물점에서는 물건이 집 안에 있는지 없는지 알 수 있다.

5) 형효동(兄爻)動)

형효(兄爻)는 재효(財爻)를 극(剋)하는 성질이 있으므로 형효(兄爻)가 동(動)하면 사업이나 재물에 관한 점에서는 아주 불리하다. 형효(兄爻)가 동(動)하면 재앙이 따르고, 시험에 떨어지고, 시비구설이 생기고, 노복이나 처첩을 구하는 일에는 불리하고, 출행인은 돌아오지 않는다.

3. 용신(用神)과 원신(原神) 발동(發動)

1) 용신동(用神動)

용신(用神)이 동(動)하면 휴수(休囚)되어도 흉하지 않고, 용신(用神)이 동(動)하고 생부왕상(生扶旺相)을 만나면 만사가 대길하다.

2) 원신동(原神動)

원신(原神)이 동(動)하면 위기가 사라지고, 생부왕상(生扶旺相)을 만나고 동(動)하면 만사가 대길하다.

4. 육수발동(六獸發動)

1) 청룡동(靑龍動)

청룡(靑龍)이 동(動)하면 만사가 길하다. 특히 재물과 관록, 직장에 관한 점에 아주 좋다. 청룡(靑龍)이 동(動)하고 천을귀인(天乙貴人)·천록(天祿)·역마(驛馬) 등을 만나면 만사가 대통한다. 그러나 청룡(靑龍)이 동(動)하여도 구신(仇神)이나 기신(忌神)을 만나면 이익이 없고 주색으로 인한 재앙이 따른다.

2) 주작동(朱雀動)

주작(朱雀)은 구설지신(口舌之神)이므로 주작(朱雀)이 동(動)하면 하는 일에 구설과 시비가 따르고, 모든 일이 헛수고로 돌아간다.

3) 구진동(句陳動)

구진(句陳)이 동(動)하면 전토(田土)에 관한 점에는 불리하고, 구진(句陳)이 동(動)하고 기신(忌神)을 만나면 오랫동안 되는 일이 없다. 그러나 용신(用神)이 유정(有情)하면 해가 없고, 용신(用神)이 유정(有情)한 달이나 일진(日辰)을 만나면 이룰 수 있다.

4) 등사동(騰蛇動)

등사(騰蛇)가 동(動)하는데 충(沖)을 만나면 매우 흉하다. 그러나 인묘목신(寅卯木神)을 띠거나 공망(空亡)이나 휴수(休囚)되면 무관하다.

5) 백호동(白虎動)

백호(白虎)가 동(動)하면 좋지 않은 일이 생길 징조다. 등사(騰蛇)가 동(動)하고 관귀(官鬼)를 띠면 병점(病占)에서 흉하고, 백호(白虎)가 동(動)하면 주로 관재·송사·시비가 따르고, 효(爻)가 수화(水火)를 띠면 수화(水火)의 액이 있다.

6) 현무동(玄武動)

현무(玄武)는 도적의 신이다. 현무(玄武)가 동(動)하면 우환과 걱정이 생기는데 관귀(官鬼)를 띠면 도적의 실물수가 있다. 용신(用神)이 유정(有情)하거나 세효(世爻)를 생(生)하면 재앙이 침범하지 못하고, 구신(仇神)이나 기신(忌神)이 같이 있으면 간악한 도둑의 흉액을 만난다.

5. 세효(世爻)

세효(世爻)는 자신의 용효(用爻)다. 자신에 관한 점에서는 세(世)를 위주로 일진(日辰)·월건(月建)·동효(動爻)·생극(生剋) 등의 관계를 살펴야 한다. 반대로 응효(應爻)는 상대방으로 본다. 세효(世爻)는 힘이 강해야 길하고, 일진(日辰)이나 월건(月建), 동효(動爻)와 상생(相生)이나 비화(比和)되어야 길하다. 형충파해극(刑沖破害剋)이나 공망(空亡)을 만나면 모두 불길하다.

6. 지세(持世)

지세(持世)란 세효(世爻)의 위치에 같이 있는 육신(六神)을 말하는데, 부효(父爻)가 지세(持世)하면 노고가 따른다.

1) 부모지세(父母持世)

부모가 지세(持世)하고 관귀(官鬼)가 동(動)하면 시험보는 일에 길하다. 그러나 신수점에서 재(財)가 동(動)하면 아내 때문에 집안이 시끄럽고, 평생점에서는 자식을 얻으려고 첩을 많이 얻고, 재물과 경영에 불리하고, 수명도 길하지 못하다.

2) 자손지세(子孫持世)

손효(孫爻)가 세(世)에 임하면 구관구직에 불리하다. 손효(孫爻)가 지세(持世)하여 생(生)을 받고 극해(剋害)되지 않으면 모든 일이 대길하고, 세(世)가 극(剋)을 받고 생(生)이 없으면 우환과 노고가 많지 않고, 손효(孫爻)가 지세(持世)하면 소송점은 끝이 난다.

3) 관귀지세(官鬼持世)

관귀(官鬼)가 지세(持世)하면 모든 일에 어려움이 많다. 재물점에서는 손재수가 빈번하고, 묘(墓)에 들면 근심과 걱정이 그칠 날이 없다. 관귀(官鬼)가 지세(持世)하면 신수점에서는 질병을 얻거나 관액을 당한다. 그러나 공명(功名)을 이루는 일에는 권세를 잡는데, 관귀(官鬼)가 지세(持世)하고 충(沖)을 만나면 전화위복이 되어 더욱 길하다.

4) 처재지세(妻財持世)

재효(財爻)가 지세(持世)하면 사업과 재물을 구하는 일에는 아주 길하나, 관직을 구하거나 소송에는 돈을 써야 한다. 만일 형효(兄爻)가 많으면 재물손실이 따르고, 재효(財爻)가 지세(持世)하고 세효(世爻)가 동효(動爻)하여 형(兄)이나 관귀(官鬼)로 변하면 만사가 대흉하다.

5) 형제지세(兄弟持世)

 형효(兄爻)가 지세(持世)하면 재물을 구하는 일에는 불리하다. 여기에 주작(朱雀)까지 임하면 구설을 조심해야 한다. 형효(兄爻)가 지세(持世)하면 재물과는 인연이 없다.

2 실전응사

■ 강남에서 이불총판을 하면 돈을 벌 수 있는가?

이위화(離爲火) → 화뢰서합(火雷噬嗑) : 이화궁(離火宮)

	兄巳	￨	世申	句
	孫未	‖		未
	財酉	￨		青
孫辰	官亥	＋	應	玄
	孫丑	‖		白
	父卯	￨		螣

① 총판을 하려고 문서를 암동(暗動)했으나 사기계약일 수 있다.

② 응효(應爻)가 관재가 있음을 속이니 도적같은 마음이다.

③ 응효(應爻)가 진토(辰土) 손효(孫爻)를 입을 다물도록 꽁꽁 묶어 놓았다.

④ 세효(世爻)가 아무리 애를 써도 돈만 나가고 사기당하기 쉽다.

⑤ 결국은 응효(應爻)가 배신하니 하지 않는 것이 좋다.

※ 이 사람은 이불총판을 해서 사기와 배신을 당하였다.

■ 전세문서를 갖고 가면 돈을 빌릴 수 있는가?

산택손(山澤損)) → 천풍소축(風天小畜) : 간토궁(艮土宮)

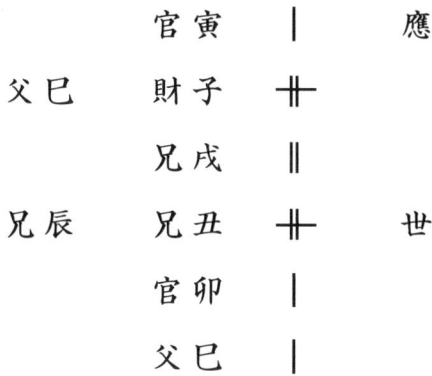

① 문서가 공망(空亡)되었으니 문서가 잘못되었다.

② 세효(世爻)가 형(兄)이 진신(進神)이니 돈을 빌리지 못한다.

③ 관성(官星) 인목(寅木)은 천을귀인(天乙貴人)이다.

④ 재자수(財子水)가 암합(暗合)했으니 돈을 구할 길이 없다.

※ 문서에 주인집이 가압류한 것이 나타나 돈을 빌리지 못하였다.

■ 영업소에 근무하면 돈을 벌 수 있는가?

산택손(山澤損) → 천풍소축(風天小畜) : 태금궁(兌金宮)

```
父 未    ‖      玄
兄 酉    |      白
孫 亥    |    應 螣
官 午    ‖      句
父 辰    |      朱
財 寅    ‖    世 靑
```

① 육합괘(六合卦)이니 이미 영업소로 가겠다고 하였다.

② 영업소에 근무하면 응효(應爻)가 도와준다고 하나 사(巳)월이
되어야 한다.

③ 세효(世爻)는 신(申)월이 되면 돈이 된다.

④ 그러나 세효(世爻) 유금(酉金)이 절지(絶地)이고, 신효(身爻)가
오화(午火) 관성(官星)이므로 걱정이 많다.

■ 강진에 있는 횟집이 나가겠는가?

천뢰무망(天雷无妄) → 풍뇌익(風雷益) : 손목궁(巽本宮)

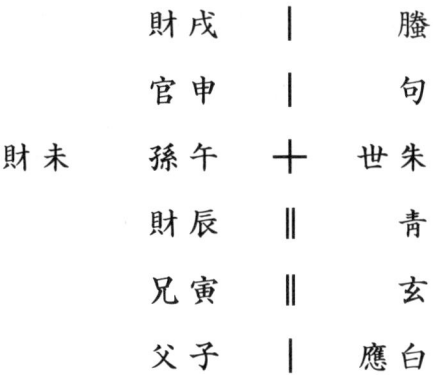

① 세효(世爻)에 오화(午火) 손효(孫爻)가 미토(未土) 재(財)와 합
(合)을 하고, 인목(寅木) 형효(兄爻)가 암동(暗動)하여 세효(世
爻)을 극(剋)하니 형제와 돈문제가 있다

② 문서가 순공(旬空)에 들었고, 응효(應爻)가 가지고 있으니 내
문서가 아니다.

③ 문서를 형제가 탐하고 있으니 내놓을 수도 없는 입장이다.

④ 세효(世爻)는 돈버는 기계지만 신효(身爻)가 없으니 매우 불안
하다.

※ 과연 형제한테 돈을 빌려 가게를 운영했으나 형제가 넘겨달라
고 재촉하는 중이라고 하였다.

■ 김씨한테 2,000만 원을 받을 수 있는가?

수천수(水天需) → 산뢰이(山雷頤) : 곤토궁(坤土宮)

官寅	財子	╫	螣
財子	兄戌	╋	句
	孫申	‖	世 朱
兄辰	兄辰	╋	靑
官寅	官寅	╋	玄
	財子	│	應 白

① 돈받는 것이 문제가 아니라 형제와 관(官)이 복음(伏吟)되어 집안에 어려움이 있으니 조심해야 된다.

② 응효(應爻)가 돈은 있으나 줄 생각이 전혀 없고 세효(世爻)를 속인다. 공망(空亡)이기 때문이다.

③ 차라리 세효(世爻)가 응효(應爻)를 도와주고 싶은 심정이다.

④ 응효(應爻)가 남편을 꼬셔서 부부싸움을 시켜 형제가 불리하니 아예 돈달라는 얘기를 하지 않는 것이 좋다.

※ 과연 김씨가 남편에게 오해의 말을 해서 큰 싸움이 벌어졌다.

■ 노무현 후보가 대통령선거에서 당선될 수 있는가?

천지부(天地否) → 화지진(火地晉) : 건금궁(乾金宮)

	父 戌	│	應 螣
父 未	兄 申	╋	身 句
	官 午	│	朱
	財 卯	║	世 靑
	官 巳	║	玄
	父 未	║	白

① 육합괘(六合卦)이니 매우 좋다.

② 5효에 있는 사람에게 공을 들이나 세효(世爻)가 배신을 당한다.

③ 세효(世爻)가 청렴하니 내세우면 당선될 수 있다.

※ 과연 5효가 배신했으나 대통령선거에서 당선되었다.

■ 목동의 주상복합 아파트에 당첨되겠는가?

지택림(地澤臨) → 건위천(乾爲天) : 곤토궁(坤土宮)

兄戌	孫酉	⚋⚋	玄
孫申	財亥	⚋⚋	應白
父午	兄丑	⚋⚋	螣
	兄丑	⚋	句
	官卯	⚊	世朱
	父巳	⚊	靑

① 술토(戌土) 형효(兄爻)가 유금(酉金) 손효(孫爻)를 도와주니 응효(應爻)를 도와준다.

② 신금(申金) 손효(孫爻)도 회두생(回頭生)이 되어 응효(應爻)를 도와준다.

③ 만국이 응효(應爻)을 도와주니 응효(應爻)는 당첨된다.

④ 세효(世爻)는 걱정뿐이지 할 수 있는 힘이 하나도 없고, 문서에 욕심은 있지만 문서까지 파(破)를 만났으니 당첨은 불가하다.

※ 역시 당첨되지 못하였다.

■ 노무현 대통령의 탄핵문제가 어떻게 되겠는가?

간위산(艮爲山) → 풍뢰익(風雷益) : 간토궁(艮土官)

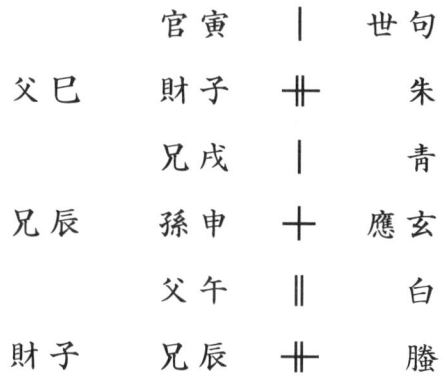

① 대통령은 야당과 부딪치기 싫어 야당이 하는대로 두고 본다.

② 야당이 워낙 힘이 세니 야당의 뜻대로 된다.

③ 그러나 초효(初爻)가 동(動)하여 신자진(申子辰) 수국(水局)을
　이루니 결국 세효(世爻)를 도와준다.

④ 초효(初爻)인 국민이 힘을 합하여 대통령을 도와줄 것이다.

※ 결국 국민들이 촛불시위를 벌여 대통령을 도와주었다.

■ 대통령이 직무수행을 할 수 있는가?

산풍고(山風蠱) → 손위풍(巽爲風) : 손목궁(巽木宮)

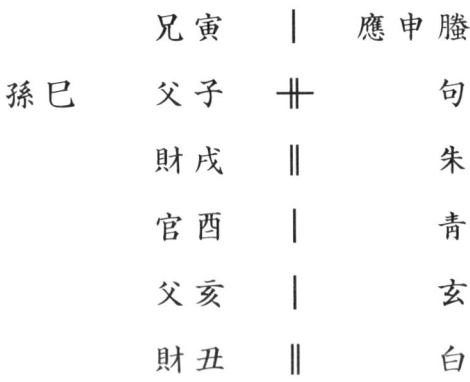

① 세효(世爻)가 암동(暗動)하고 월파(月破)를 만났으니 여러 가지
　수단과 방법으로 직무수행을 할 수 있다.

② 응효(應爻)의 허황된 꿈은 크지만 세효(世爻)가 응효(應爻)를
　극(剋)하니 직무수행을 할 수 있다.

③ 응효(應爻)의 힘이 막강하고 문서가 응효(應爻)를 도와주니 앞
　으로 문서로 인한 마찰로 힘을 잃을까 걱정된다.

④ 직무수행은 하더라도 근심걱정이 많다.

■ 내일 재판이 있는데 구속되는가?

천택이(天澤履) → 택뢰수(澤雷隨) : 간토궁(艮土官)

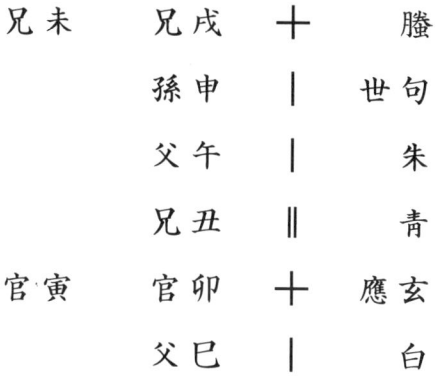

① 세효(世爻)에 손(孫)이 임했으니 구속되지는 않는다.

② 응효(應爻) 관(官)이 퇴신(退神)이 되어 약해졌지만 검사가 똑
똑하기 때문에 조심해야 한다.

③ 검사가 세효(世爻)를 속일 수 있으며, 나중에 검사와 부딪친다.

④ 문서가 공망(空亡)되었으니 변호사가 실력을 발휘하지 못한다.

⑤ 세효(世爻)와 합(合)되어 자신 있다고 하나 변호사를 바꾸는 것
이 좋다.

⑥ 형제가 도와준다고 해도 믿지말라. 술토(戌土)가 미토(未土)로
퇴신(退神)이 되었고, 등사(騰蛇)에 임했으니 도와주지 않는다.

※ 변호사는 바꾸었으나 형제가 도와주지 않았다.

제5장. 하지장(何知章)

문 : 부모에게 질병이 있는 것을 어떻게 아는가?

답 : 부효(父爻)가 공망(空亡) 휴수(休囚)되고, 백호(白虎)가 붙고, 겁살(劫殺)이나 형충(刑沖)된 것을 보고 안다.

문 : 부모에게 재앙이 있는 것을 어떻게 아는가?

답 : 재(財)가 동(動)하여 부효(父爻)를 극(剋)하고, 부효(父爻)가 휴수(休囚)와 공망(空亡)되고, 백호(白虎)가 붙은 것을 보고 안다.

문 : 부모가 건전하며 건강한 것을 어떻게 아는가?

답 : 부효(父爻)가 왕(旺)하며 관(官)이 동(動)하여 부효(父爻)를 생(生)해주는 것을 보고 안다.

문 : 아내에게 재앙이 있는 것을 어떻게 아는가?

답 : 재(財)가 휴수(休囚)되고, 백호(白虎)에 형효(兄爻)가 동(動)하여 재(財)를 극상(剋傷)하는 것을 보고 안다.

문 : 아내가 임신한 것을 어떻게 아는가?

답 : 재효(財爻)가 청룡(靑龍)이며 재(財)가 있는 것을 보고 안다.

문 : 처첩이 있는 것을 어떻게 아는가?

답 : 재(財)가 상괘(上卦)와 하괘(下卦)에 있고, 재(財)가 왕(旺)한 것을 보고 안다.

문 : 아내가 건강한 것을 어떻게 아는가?

답 : 청룡(靑龍)에 재(財)가 왕(旺)한 것을 보고 안다.

문 : 아내가 수술이나 입원하는 것을 어떻게 아는가?

답 : 재효(財爻)가 백호(白虎)에 입고(入庫)된 것을 보고 안다.

문 : 처첩이 도망가는 것을 어떻게 아는가?

답 : 재지세(財持世)하고 재(財)가 동(動)하면서 일진(日辰)이 재(財)가 된 것을 보고 안다.

문 : 자손이 건강한 것을 어떻게 아는가?

답 : 손효(孫爻)가 왕하며 형효(兄爻)가 동(動)한 것을 보고 안다.

문 : 아이가 죽는 것을 어떻게 아는가?

답 : 손효(孫爻)가 공망(空亡)되고, 손효(孫爻)에 백호(白虎)가 붙고, 월파(月破)나 일충(日沖)되고, 부효(父爻)가 동(動)하여 손효(孫爻)를 극(剋)하는 것을 보고 안다.

문 : 형제가 죽는 것을 어떻게 아는가?

답 : 형효(兄爻)가 공망(空亡)되고, 백호(白虎)가 붙고, 관(官)이 동(動)하여 형효(兄爻)를 극(剋)하는 것을 보고 안다.

문 : 부동산을 사거나 늘어나는 것을 어떻게 아는가?

답 : 구진(句陳)이 토(土)에 입고(入庫)되면서 토(土)가 손(孫)이 된 것을 보고 안다.

문 : 부자인 것을 어떻게 아는가?

답 : 재효(財爻)가 왕성한데 재(財)가 어느 효(爻)에 입고(入庫)된 것을 보고 안다.

문 : 외부에서 재물이 늘어나는 것을 어떻게 아는가?

답 : 외괘(外卦)에 청룡(靑龍) 재(財)가 있고, 손(孫)이 유기(有氣)한 것을 보고 안다.

문 : 사업이 잘 되는 것을 어떻게 아는가?

답 : 청룡(靑龍) 재(財)가 왕(旺)한 것을 보고 안다.

문 : 가난한 것을 어떻게 아는가?

답 : 재효(財爻)가 휴수(休囚)되고 충(沖)된 것을 보고 안다.

문 : 경사가 있는 것을 어떻게 아는가?

답 : 청룡(靑龍)이 3효나 4효에 있는 것을 보고 안다.

문 : 부귀가 창성한 것을 어떻게 아는가?

답 : 재(財)가 왕(旺)하고 손(孫)이 청룡(靑龍)에 있는 것을 보고 안다.

문 : 의탁할 곳이 없는 것을 어떻게 아는가?

답 : 손효(孫爻)가 휴수(休囚)되고 공망(空亡)된 것을 보고 안다.

문 : 집안이 망하는 것을 어떻게 아는가?

답 : 부효(父爻)가 백호(白虎)에 있고 휴수(休囚)되며 파(破)된 것

을 보고 안다.

문 : 집을 짓고 있는 것을 어떻게 아는가?
답 : 부효(父爻)가 청룡(靑龍)이면서 왕(旺)한 것을 보고 안다.

문 : 집이나 땅을 사는 것을 어떻게 아는가?
답 : 재효(財爻)가 부효(父爻)에 입고(入庫)된 것을 보고 안다.

문 : 부동산을 저당잡힌 것을 어떻게 아는가?
답 : 재효(財爻)가 부효(父爻)에 입고(入庫)된 것을 보고 안다.

문 : 재수가 매우 좋은 것을 어떻게 아는가?
답 : 재효(財爻)가 청룡효(靑龍爻)에 입고(入庫)된 것을 보고 안다.

문 : 상대가 속이는 것을 어떻게 아는가?
답 : 응효(應爻)가 공망(空亡)된 것을 보고 안다.

문 : 재물을 잃고 매매가 안 되는 것을 어떻게 아는가?
답 : 재효(財爻)를 회두극(回頭剋)하는 것을 보고 안다.

문 : 모자라는 사업자금을 구하지 못하는 것을 어떻게 아는가?
답 : 효(爻)에 재(財)가 없는 것을 보고 안다.

문 : 식구가 늘어나는 것을 어떻게 아는가?
답 : 청룡(靑龍)에 수재(水財)가 왕(旺)한 것을 보고 안다.

문 : 식구 가운데 누가 기력이 왕성한가를 어떻게 아는가?

답 : 육친(六親)이 유기(有氣)하고, 길한 육수(六獸)가 붙은 육친
    (六親)이 왕(旺)한 것을 보고 안다.

문 : 부엌이 파손된 것을 어떻게 아는가?
답 : 현무(玄武) 관(官)이 2효 가택효(家宅爻)에 있고 파(破)된 것
    을 보고 안다.

문 : 한 집에 두 성씨가 사는 것을 어떻게 아는가?
답 : 관(官)이 2개 있는데 왕(旺)하며 서로 상함이 없고, 재(財)가
    관(官)을 생(生)하는 것을 보고 안다.

문 : 돈놀이 등으로 돈을 늘리는 것을 어떻게 아는가?
답 : 재효(財爻)가 있고 일진(日辰)도 재(財)가 된 것을 보고 안다.

문 : 친구 때문에 손재나 손해를 보는 것을 어떻게 아는가?
답 : 재효(財爻)가 형효(兄爻)에 입고(入庫)된 것을 보고 안다.

문 : 실물수가 있는 것을 어떻게 아는가?
답 : 가택효(家宅爻)에 형(兄)이 일진(日辰)과 합(合)된 것을 보고
    안다.

문 : 여자의 행실이 부정한 것을 어떻게 아는가?
답 : 재효(財爻)가 관효(官爻)에 입고(入庫)된 것을 보고 안다.

문 : 관재구설이 있는 것을 어떻게 아는가?
답 : 재효(財爻)가 일진(日辰) 관(官)에 입고(入庫)된 것을 보고

안다. 재효(財爻)가 있고 일진(日辰)도 관(官)이고 괘(卦)에 관(官)이 있는데 재효(財爻)가 관(官)에 입고(入庫)되면 관재구설로 본다.

문 : 병점(病占)에서 생사를 어떻게 아는가?

답 : 응효(應爻)에 관(官)이 절(絶)되고 세효(世爻)에 관(官)이 겁살(劫殺)이면 죽고, 세효(世爻)에 손(孫)이 있고 응효(應爻)에 손(孫)이나 형효(兄爻)가 있으면 산다.

문 : 회두극(回頭剋)이 된 효(爻)가 복재(伏財)되는 것을 어떻게 아는가?

답 : 변효(變爻)를 충(沖)하면 복신(伏神)이 살아나는 것을 보고 안다.

문 : 불안하며 초조한 것을 어떻게 아는가?

답 : 관(官)을 지세(持世)하면 근심·걱정·송사·시비·싸움·누명·질병·구설·귀신 등이 따라 불안하며 편안하지 않다.

문 : 기쁜 일이 생기는 것을 어떻게 아는가?

답 : 관(官)을 지세(持世)했는데 일진(日辰)이 관(官)을 충(沖)하면 근심걱정이 사라지니 기쁘다.

문 : 이사하는 것이 좋은지 나쁜지를 어떻게 아는가?

답 : 관(官)이 지세(持世)했는데 변효(變爻)가 손(孫)이면 이사하면 부귀해진다.

문 : 재수 있는 것을 어떻게 아는가?

답 : 재효(財爻)가 회두생(回頭生)되거나 재효(財爻)가 왕(旺)하고 손(孫)도 왕(旺)한 것을 보고 안다.

문 : 돈문제로 땅이나 집을 팔고 싶어하는 것을 어떻게 아는가?

답 : 재효(財爻)가 초효(初爻) 부(父)를 회두극(回頭剋)하면 팔고 싶어하고 팔린다.

문 : 매매점에서 팔리지 않는 것을 어떻게 아는가?

답 : 부효(父爻)가 동(動)한 것을 보고 안다.

문 : 매매점에서 잘 팔리는 것을 어떻게 아는가?

답 : 초효(初爻)가 동(動)하면 곧 팔리고, 세효(世爻)가 동(動)해도 매매가 이루어진다.

문 : 큰 돈이 나가며 재수 없는 것을 어떻게 아는가?

답 : 세효(世爻) 재(財)가 응효(應爻)에 입고(入庫)된 것을 보고 안다.

문 : 큰 돈이 들어오며 재수 있는 것을 어떻게 아는가?

답 : 응효(應爻)의 재(財)가 세효(世爻)에 입고(入庫)된 것을 보고 안다.

문 : 돈이 나가거나 실패하는 것을 어떻게 아는가?

답 : 5효 재(財)는 도로에 해당하니 나가는 돈이고, 5효에 현무(玄

武) 재(財)가 겁살(劫殺)이면 반드시 실패한다.

문 : 재판에서 지는 것을 어떻게 아는가?

답 : 형효(兄爻)가 성하고 재(財)가 겁살(劫殺)이면 진다.

문 : 소원의 성사여부를 어떻게 아는가?

답 : 육충괘(六沖卦)인데 용신(用神)이 또 충(沖)을 만나면 이루어
지지 않고, 육충괘(六沖卦)라도 용신(用神)이 합(合)되고 강하
면 이루어진다.

문 : 사기나 도둑맞는 것을 어떻게 아는가?

답 : 응효(應爻)에 형(兄)이 현무(玄武)이면 사기나 도둑을 맞는다.
그런데 매매점에서는 현무(玄武) 형효(兄爻)가 있으면 잘 팔
리고, 현무(玄武) 형효(兄爻)가 동(動)하면 빨리 팔린다.

문 : 산소에 물이 있는 것을 어떻게 아는가?

답 : 백호(白虎)에 해수(亥水) 자수(子水)가 있고, 해자수(亥子水)
가 공망(空亡)된 것을 보고 안다.

문 : 구설수가 있는 것을 어떻게 아는가?

답 : 주작(朱雀)이 세효(世爻)에 있고, 관(官)이 변하는 것을 보고
안다.

문 : 개가 심하게 짖는 것을 어떻게 아는가?

답 : 등사(騰蛇)에 술관(戌官)이 있는 것을 보고 안다.

문 : 닭이 어지럽게 우는 것을 어떻게 아는가?

답 : 등사(騰蛇)에 유관(酉官)이 있는 것을 보고 안다.

문 : 구설이 따르는 것을 어떻게 아는가?

답 : 주작(朱雀)에 목관(木官)이 있는 것을 보고 안다.

문 : 싸움과 다툼이 많은 것을 어떻게 아는가?

답 : 세효(世爻)와 응효(應爻) 형(兄)이 있고, 형효(兄爻)에 주작
(朱雀)이 있는 것을 보고 안다.

문 : 도둑맞는 것을 어떻게 아는가?

답 : 현무(玄武)에 재(財)가 있는데 재(財)가 관(官)을 생(生)하는
것을 보고 안다.

문 : 재난 당하는 것을 어떻게 아는가?

답 : 현무(玄武) 관(官)이 동(動)하면서 신효(身爻)에 있는 것을
보고 안다.

문 : 재화가 따르는 것을 어떻게 아는가?

답 : 응효(應爻)에 백호(白虎) 관(官)이 세효(世爻)를 극(剋)하는
것을 보고 안다.

문 : 물에 빠지는 것을 어떻게 아는가?

답 : 수효(水爻)에 현무(玄武)가 있으면서 관효(官爻)에 입고(入
庫)된 것을 보고 안다.

문 : 꿈자리가 사나운 것을 어떻게 아는가?

답 : 등사(騰蛇)에 관(官)이 있고, 세효(世爻)에 등사(騰蛇) 관(官)이 있는 것을 보고 안다. 세효(世爻)에 등사(騰蛇) 관(官)이 있으면 꿈자리가 뒤숭숭하다.

문 : 옷을 잃어버린 것을 어떻게 아는가?

답 : 구진(句陳)이나 현무(玄武)가 재효(財爻)에 입고(入庫)된 것을 보고 안다.

문 : 가축이 손상되는 것을 어떻게 아는가?

답 : 손효(孫爻)에 백호(白虎) 관(官)이 있는 것을 보고 안다.

문 : 닭을 잃어버린 것을 어떻게 아는가?

답 : 초효(初爻)에 현무(玄武) 관(官)이 있는 것을 보고 안다.

문 : 소를 도둑맞은 것을 어떻게 아는가?

답 : 축효(丑爻)가 휴수(休囚) 공망(空亡)된 것을 보고 안다.

문 : 소와 돼지를 기르지 않는 것을 어떻게 아는가?

답 : 축(丑)은 소이고 해(亥)는 돼지이니 축해(丑亥)가 휴수(休囚) 공망(空亡)된 것을 보고 안다.

문 : 개나 닭을 기르지 않는 것을 어떻게 아는가?

답 : 유(酉)는 닭이고 술(戌)은 개이니 유술(酉戌)이 휴수(休囚) 공망(空亡)된 것을 보고 안다.

문 : 가정이 편안하지 못한 것을 어떻게 아는가?

답 : 육효(六爻)가 난동하여 깨지며 갈라지는 것을 보고 안다.

문 : 죽고 사는 것을 어떻게 아는가?

답 : 용신(用神)이 휴수(休囚) 사(死)하여 미약한데 구신(救神)이 없으면서 입고(入庫)되는 것을 보고 안다. 용신(用神)이 왕(旺)하고 유기(有氣)하면 건강하게 잘 산다.

문 : 큰 돈이 들어오는 것을 어떻게 아는가?

답 : 응효(應爻)의 재(財)가 세효(世爻)에 입고(入庫)된 것을 보고 안다.

문 : 빌어먹는 것을 어떻게 아는가?

답 : 일진(日辰)이 재(財)이면 하루하루 빌어먹고 산다.

문 : 괴상한 귀신이 출몰하는 것을 어떻게 아는가?

답 : 3효나 4효에 등사(騰蛇)나 백호(白虎)가 있는 것을 보고 안다. 3효나 4효에 관(官)이 있는데 등사(騰蛇)나 백호(白虎)가 있으면 확률이 더 높다.

문 : 신(神)을 모시는 것을 어떻게 아는가?

답 : 구진효(句陳爻)가 수(水)이면 집 안에 신을 모시고, 관(官)이 지세(持世)하고 년지(年支)에도 관(官)이 있으면 신을 모신다.

조화원약 평주

신비한 동양철학 35

명리학의 정통교본!

이 책은 자평진전, 난강망, 명리정종, 적천수 등과 함께 명리학의 교본에 해당하는 것으로 중국 청나라 때 나온 난강망이라는 책을 서낙오 선생께서 설명을 붙인 것이다. 기존의 많은 책들이 격국과 용신으로 감정하는 것과는 달리 십간십이지와 음양오행을 각각 자연의 이치와 춘하추동의 사계절의 흐름에 대입하여 인간의 길흉화복을 알 수 있게 했다.

· 동하 정지호 편역

용의 혈·풍수지리 실기 100선

신비한 동양철학 30

실전에서 실감나게 적용하는 풍수지리의 길잡이!

이 책은 풍수지리 문헌인 조선조 고무엽(古務葉) 태구승(泰九升) 부집필(父輯筆)로 된 만두산법(巒頭山法), 채성우의 명산론(明山論), 금랑경(錦囊經) 등을 알기 쉬운 주제로 간추려 풍수지리의 길잡이가 되고자 했다. 그리고 인간의 뿌리와 한 사람의 고유한 이름의 중요성을 풍수지리와 연관하여 살펴보아야 하기 때문에 씨족의 시조와 본관, 작명론(作名論)을 같이 편집했다.

· 호산 윤재우 저

천직·사주팔자로 찾은 나의 직업

신비한 동양철학 34

역경없이 탄탄하게 성공할 수 있는 방법!

잘 되겠지 하는 막연한 생각으로 의욕만 갖고 도전하는 것과 나에게 맞는 직종은 무엇이고 때는 언제인가를 알고 도전하는 것은 근본적으로 다르고, 결과 또한 다르다. 더구나 요즈음은 I.M.F.시대라 하여 모든 사람들이 정신까지 위축되어 생기를 잃어가고 있다. 이런 때 의욕만으로 팔자에도 없는 사업을 시작했다고 하자, 결과는 불을 보듯 뻔하다. 그러므로 이런 때일수록 침착과 냉정을 찾아 내 그릇부터 알고, 생활에 대처하는 지혜로움을 발휘해야 한다.

· 백우 김봉준 저

통변술해법

신비한 동양철학 ㉑

가닥가닥 풀어내는 역학의 비법!

이 책은 역학에 대해 다 알면서도 밖으로 표출되지 않아 어려움을 겪는 사람들을 위한 실습서다. 특히 틀에 박힌 교과서적인 역술의 고정관념에서 벗어나, 한차원 높게 공부할 수 있도록 원리통달을 설명하는데 중점을 두었다. 실명감정과 이론강의라는 두 단락으로 나누어 역학의 진리를 설명했기 때문에 누구나 쉽게 이해할 수 있다. 역학계의 대가 김봉준 선생의 역서 「알기쉬운 해설·말하는 역학」의 후편이다.

· 백우 김봉준 저

주역육효 해설방법 上·下

신비한 동양철학 38

한 번만 읽으면 주역을 활용할 수 있는 책!

이 책은 주역을 해설한 것으로, 될 수 있는 한 여러 가지 사설을 덧붙이지 않고 주역을 공부하고 활용하는데 필요한 요건만을 기록했다. 따라서 주역의 근원이나 하도낙서, 음양오행에 대해서도 많은 설명을 자제했다. 다만 누구나 이 책을 한 번 읽어서 주역을 이해하고 활용할 수 있도록 하는데 중점을 두었다.

·원공선사 저

사주명리학 핵심

신비한 동양철학 ⑲

맥을 잡아야 모든 것이 보인다!

이 책은 잡다한 설명을 배제하고 명리학자들에게 도움이 될 비법만을 모아 엮었기 때문에 초심자가 이해하기에는 다소 어려운 부분도 있겠지만 기초를 튼튼히 한 다음 정독한다면 충분히 이해할 것이다. 신살만 늘어놓으며 감정하는 사이비가 되지말기를 바란다.

·도관 박흥식 저

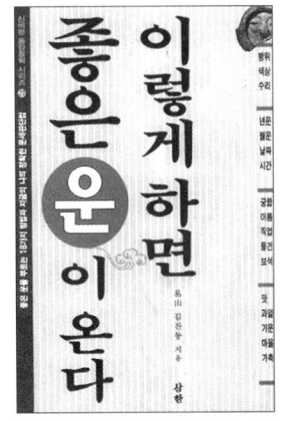

이렇게 하면 좋은 운이 온다

신비한 동양철학 ㉗

한 가정에 한 권씩 놓아두고 볼만한 책 !

좋은 운을 부르는 방법은 방위·색상·수리·년운·월운·날짜·시간·궁합·이름·직업·물건·보석·맛·과일·기운·마을·가축·성격 등을 정확하게 파악하여 자신에게 길한 것은 취하고 흉한 것은 피하면 된다. 간혹 예외인 경우가 있지만 극소수에 불과하고 대부분은 적중하기 때문에 좋은 효과를 본다. 이 책의 저자는 신학대학을 졸업하고 역학계에 입문했다는 특별한 이력을 갖고 있기 때문에 더 많은 화제가 되고 있다.

· 역산 김찬동 저

말하는 역학

신비한 동양철학 ⑪

신수를 묻는 사람 앞에서 말문이 술술 열린다!

이 책은 그토록 어렵다는 사주통변술을 이해하기 쉽고 흥미롭게 고담과 덕담을 곁들여 사실적인 인물을 궁금해 하는 사람에게 생동감있게 통변하고 있다. 길흉작용을 어떻게 표현하느냐에 따라 상담자의 정곡을 찔러 핵심을 끄집어내고 여기에 대한 정답을 내려주는 것이 통변술이다. 역학계의 대가 김봉준 선생의 역작이다.

· 백우 김봉준 저

술술 읽다보면 통달하는 사주학

신비한 동양철학 ㉗

술술 읽다보면 나도 어느새 도사!

당신은 당신 마음대로 모든 일이 이루어지던가. 지금까지 누구의 명령을 받지 않고 내 맘대로 살아왔다고, 운명 따위는 믿지도 않고 매달리지 않는다고, 이렇게 말하는 사람들이 많다. 그러나 그것은 우주법칙을 모르기 때문에 하는 소리다.

· 조철현 저

참역학은 이렇게 쉬운 것이다

신비한 동양철학 ㉔

음양오행의 이론으로 이루어진 참역학서!

수학공식이 아무리 어렵다고 해도 1, 2, 3, 4, 5, 6, 7, 8, 9, 0의 10개의 숫자로 이루어졌듯이, 사주도 음양과 목, 화, 토, 금, 수의 오행으로 이루어졌을 뿐이다. 그러니 용신과 격국이라는 무거운 짐을 벗어버리고 음양오행의 법칙과 진리만 정확하게 파악하면 된다. 사주는 단지 음양오행의 변화일 뿐이고, 용신과 격국은 사주를 감정하는 한가지 방법에 지나지 않는다.

· 청암 박재현 저

나의 천운 운세찾기

신비한 동양철학 ⑫

놀랍다는 몽골정통 토정비결 !

이 책은 역학계의 대가 김봉준 선생이 놀랍다는 몽공토
정비결을 연구 · 분석하여 우리의 인습 및 체질에 맞게
엮은 것이다. 운의 흐름을 알리고자 호운과 쇠운을 강
조했으며, 현재의 나를 조명해보고 판단할 수 있도록
했다. 모쪼록 생활서나 안내서로 활용하기 바란다.

· 백우 김봉준 저

쉽게푼 역학

신비한 동양철학 ❷

쉽게 배워서 적용할 수 있는 생활역학서 !

이 책에서는 좀더 많은 사람들이 역학의 근본인 우주
의 오묘한 진리와 법칙을 깨달아 보다 나은 삶을 영위
하는데 도움이 될 수 있도록 가장 쉬운 언어와 가장 쉬
운 방법으로 풀이했다. 역학계의 대가 김봉준 선생의
역작이다.

· 백우 김봉준 저

이름이 운명을 바꾼다

신비한 동양철학 ㉕

이름은 제2의 자신이다 !

이름에는 각각 고유의 뜻과 기운이 있어서 그 기운이 성격을 만들고 그 성격이 운명을 만든다. 나쁜 이름은 부르면 부를수록 불행을 부르고 좋은 이름은 부르면 부를수록 행복을 부른다. 만일 이름이 거지 같다면 아무리 운세를 잘 만나도 밥을 좀더 많이 얻어 먹을 수 있을 뿐이다. 이 책의 저자는 신학대학을 졸업하고 역학계에 입문했다는 특별한 이력을 갖고 있기 때문에 더 많은 화제가 되고 있다.

· 역산 김찬동 저

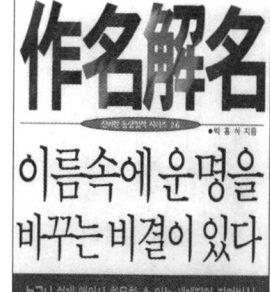

작명해명

신비한 동양철학 ㉖

누구나 쉽게 배워서 활용할 수 있는 체계적인 작명법 !

일반적인 성명학으로는 알 수 없는 한자이름, 한글이름, 영문이름, 예명, 회사명, 상호, 상품명 등의 작명방법을 여러 사례를 들어 체계적으로 분석하여 누구나 쉽게 배워서 활용할 수 있도록 서술했다.

· 도관 박홍식 저

181

관상오행

신비한 동양철학 ⑳
한국인의 특성에 맞는 관상법 !

좋은 관상인 것 같으나 실제로는 나쁘거나 좋은 관상
이 아닌데도 잘 사는 사람이 왕왕있어 관상법 연구에
흥미를 잃는 경우가 있다. 이것은 중국의 관상법만을
익히고, 우리의 독특한 환경적인 특징을 소홀히 다루었
기 때문이다. 이에 우리 한국인에게 알맞는 관상법을
연구하여 누구나 관상을 쉽게 알아보고 해석할 수 있
도록 자세하게 풀어놓았다.

· 송파 정상기 저

물상활용비법

신비한 동양철학 31
물상을 활용하여 오행의 흐름을 파악한다 !

이 책은 물상을 통하여 오행의 흐름을 파악하고, 운명
을 감정하는 방법을 연구한 책이다. 추명학의 해법을
연구하고 운명을 추리하여 오행에서 분류되는 물질의
운명 줄거리를 물상의 기물로 나들이 하는 활용법을
주제로 했다. 팔자풀이 및 운명해설에 관한 명리감정법
의 체계를 세우는데 목적을 두고 초점을 맞추었다.

· 해주 이학성 저

운세십진법 · 本大路

신비한 동양철학 ❶

운명을 알고 대처하는 것은 현대인의 지혜다!

타고난 운명은 분명히 있다. 그러니 자신의 운명을 알고 대처한다면 비록 운명을 바꿀 수는 없지만 충분히 향상시킬 수 있다. 이것이 사주학을 알아야 하는 이유다. 이 책에서는 자신이 타고난 숙명과 앞으로 펼쳐질 운명행로를 찾을 수 있도록 운명의 기초를 초연하게 설명하고 있다.

· 백우 김봉준 저

국운 · 나라의 운세

신비한 동양철학 ㉒

역으로 풀어본 우리나라의 운명과 방향!

아무리 서구사상의 파고가 높다하기로 오천년을 한결같이 가꾸며 살아온 백두의 혼이 와르르 무너지는 지경에 왔어도 누구하나 입을 열어 말하는 사람이 없으니 답답하다. IMF라는 특수한 상황에서 불확실한 내일에 대한 해답을 이 책은 명쾌하게 제시하고 있다.

· 백우 김봉준

183

명인재

신비한 동양철학 43

신기한 사주판단 비법 !

살(殺)의 활용방법을 완벽하게 제시하는 책!

이 책은 오행보다는 주로 살을 이용하는 비법이다. 시중에 나온 책들을 보면 살에 대해 설명은 많이 하면서도 실제 응용에서는 무시하고 있다. 이것은 살을 알면서도 응용할 줄 모르기 때문이다. 그러나 이 책에서는 살의 활용방법을 완전히 터득해, 어떤 살과 어떤 살이 합하면 어떻게 작용하는지를 자세하게 설명하고 있다.

· 원공선사 지음

사주학의 방정식

신비한 동양철학 18

가장 간편하고 실질적인 역서 !

이 책은 종전의 어려웠던 사주풀이의 응용과 한문을 쉬운 방법으로 터득할 수 있게 하는데 목적을 두었고, 역학의 내용이 어떤 것이며 무엇이 어디에 속하는지를 알고자 하는데 있다.

· 김용오 저

원토정비결

신비한 동양철학 53

반쪽으로만 전해오는 토정비결의 완전한 해설판

지금 시중에 나와 있는 토정비결에 대한 책들을 보면 옛날부터 내려오는 완전한 비결이 아니라 반쪽의 책이 다. 그러나 반쪽이라고 말하는 사람이 없다. 그것은 주역의 원리를 모르기 때문이다. 따라서 늦은 감이 없지 않으나 앞으로의 수많은 세월을 생각하면서 완전한 해설본을 내놓기로 한 것이다.

· 원공선사 저

내가 보고 내가 바꾸는 DIY사주

신비한 동양철학 40

내가 보고 내가 바꾸는 사주비결 !

이 책은 기존의 책들과는 달리 한 사람의 사주를 체계적으로 도표화시켜 한 눈에 파악할 수 있고, DIY라는 책 제목에서 말하듯이 개운하는 방법을 제시하고 있다. 초심자는 물론 전문가도 자신의 이론을 새롭게 재조명해 볼 수 있는 케이스 스터디 북이다.

· 석오 전 광 지음

동양철학전문출판 삼한

남사고의 마지막 예언

신비한 동양철학 29

이 책으로 격암유록에 대한 논란이 끝나기 바란다

감히 이 책을 21세기의 성경이라고 말한다. 〈격암유록〉
은 섭리가 우리민족에게 준 위대한 복음서이며, 선물이
며, 꿈이며, 인류의 희망이다. 이 책에서는 〈격암유록〉
이 전하고자 하는 바를 주제별로 정리하여 문답식으로
풀어갔다. 이 책으로 〈격암유록〉에 대한 논란은 끝나기
바란다.

· 석정 박순용 저

진짜부적 가짜부적

신비한 동양철학 7

부적의 실체와 정확한 제작방법

인쇄부적에서 가짜부적에 이르기까지 많게는 몇백만원
에 팔리고 있다는 보도를 종종 듣는다. 그러나 부적은
정확한 제작방법에 따라 자신의 용도에 맞게 스스로
만들어 사용하면 훨씬 더 좋은 효과를 얻을 수 있다.
이 책은 중국에서 정통부적을 연구한 국내유일의 동양
오술학자가 밝힌 부적의 실체와 정확한 제작방법을 소
개하고 있다.

· 오상익 저

한눈에 보는 손금

신비한 동양철학 52

논리정연하며 바로미터적인 지침서

이 책은 수상학의 연원을 초월해서 동서합일의 이론으로 집필했다. 그야말로 완벽하리만치 논리정연한 수상학을 정리한 것이다. 그래서 운명적, 철학적, 동양적, 심리학적인 면을 예증과 방편에 이르기까지 아주 상세하게 기술했다. 이 책은 수상학이라기 보다 한 인간의 바로미터적인 지침서 역할을 해줄 것이다. 독자 여러분의 꾸준한 연구와 더불어 인생성공의 지침서가 될 수 있을 것이다.

· 정도명 저

만세력 | 사륙배판·신국판
사륙판·포켓판

신비한 동양철학 45

찾기 쉬운 만세력

이 책은 완벽한 만세력으로 만세력 보는 방법을 자세하게 설명했다. 그리고 역학에 대한 기본적인 내용과 결혼하기 좋은 나이·좋은 날·좋은 시간, 아들·딸 태아감별법, 이사하기 좋은 날·좋은 방향 등을 부록으로 실었다.

· 백우 김봉준 저

동양철학전문출판 **삼한**

수명비결

신비한 동양철학 14

주민등록번호 13자로 숙명의 정체를 밝힌다

우리는 지금 무수히 많은 숫자의 거미줄에 매달려 허우적거리며 살아가고 있다. 1분·1초가 생사를 가름하고, 1등·2등이 인생을 좌우하며, 1급·2급이 신분을 구분하는 세상이다. 이 책은 수명리학으로 13자의 주민등록번호로 명예, 재산, 건강, 수명, 애정, 자녀운 등을 미리 읽어본다.

· 장충한 저

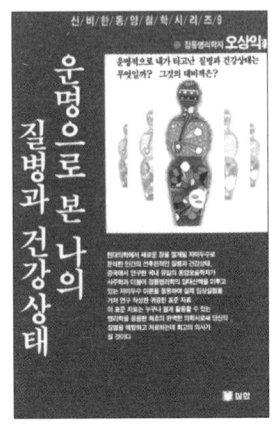

운명으로 본 나의 질병과 건강상태

신비한 동양철학 9

타고난 건강상태와 질병에 대한 대비책

이 책은 국내 유일의 동양오술학자가 사주학과 더불어 정통명리학의 양대산맥을 이루는 자미두수 이론으로 임상실험을 거쳐 작성한 표준자료다. 따라서 명리학을 응용한 최초의 완벽한 의학서로 질병을 예방하고 치료하는데 활용한다면 최고의 의사가 될 것이다. 또한 예방의학적인 차원에서 건강을 유지하는데 훌륭한 지침서로 현대의학의 새로운 장을 여는 계기가 될 것이다.

· 오상익 저

오행상극설과 진화론

신비한 동양철학 5

인간과 인생을 떠난 천리란 있을 수 없다

과학이 현대를 설정하여 설명하고 있으나 원리는 동양철학에도 있기에 그 양면을 밝히고자 노력했다. 우주에서 일어나는 모든 일을 과학으로 설명될 수는 없다. 비과학적이라고 하기보다는 과학이 따라오지 못한다고 설명하는 것이 더 솔직하고 옳은 표현일 것이다. 특히 과학분야에 종사하는 신의사가 저술했다는데 더 큰 화제가 되고 있다.

• 김태진 저

사주학의 활용법

신비한 동양철학 17

가장 실질적인 역학서

우리가 생소한 지방을 여행할 때 제대로 된 지도가 있다면 편리하고 큰 도움이 되듯이 역학이란 이와같은 인생의 길잡이다. 예측불허의 인생을 살아가는데 올바른 안내자나 그 무엇이 있다면 그 이상 마음 든든하고 큰 재산은 없을 것이다.

• 학선 류래웅 저

동양철학전문출판 삼한

쉽게 푼 주역

신비한 동양철학 10

귀신도 탄복한다는 주역을 쉽고 재미있게 풀어놓은 책

주역이라는 말 한마디면 귀신도 기겁을 하고 놀라 자빠진다는데, 운수와 일진이 문제가 될까. 8×8=64괘라는 주역을 한 괘에 23개씩의 회답으로 해설하여 1472괘의 신비한 해답을 수록했다. 당신이 당면한 문제라면 무엇이든 해결할 수 있는 열쇠가 이 한 권의 책 속에 있다.

· 정도명 저

핵심 관상과 손금

신비한 동양철학 54

사람을 볼 줄 아는 안목과 지혜를 알려주는 책

오늘과 내일을 예측할 수 없을만큼 복잡하게 펼쳐지는 현실에서 살아남기 위해서는 사람을 볼줄 아는 안목과 지혜가 필요하다. 시중에 관상학에 대한 책들이 많이 나와있지만 너무 형이상학적이라 전문가도 이해하기 어렵다. 이 책에서는 누구라도 쉽게 보고 이해할 수 있도록 핵심만을 파악해서 설명했다.

· 백우 김봉준 저

진짜궁합 가짜궁합

신비한 동양철학 8

남녀궁합의 새로운 충격

중국에서 연구한 국내유일의 동양오술학자가 우리나라 역술들의 궁합법이 잘못되었다는 것을 학술적으로 분석·비평하고, 전적과 사례연구를 통하여 궁합의 실체와 타당성을 분석했다. 합리적인「자미두수궁합법」과「남녀궁합」및 출생시간을 몰라 궁합을 못보는 사람들을 위하여「지문으로 보는 궁합법」등을 공개한다.

· 오상익 저

좋은꿈 나쁜꿈

신비한 동양철학 15

그날과 앞날의 모든 답이 여기 있다

개꿈이란 없다. 꿈은 반드시 미래를 예언한다. 이 책은 프로이드의 정신분석학적인 입장이 아닌 미래판단의 근거에 입각한 예언적인 해몽학이다. 여러 형태의 꿈을 체계적으로 정리했으니 올바른 해몽법으로 앞날을 지혜롭게 대처해 보자. 모쪼록 각 가정에서 한 권씩 두고 이용하면 생활하는데 많은 도움이 될 것이다.

· 학선 류래웅 저

동양철학전문출판 **삼한**

완벽 만세력

신비한 동양철학 58

착각하기 쉬운 썸머타임 2도 인쇄

시중에 많은 종류의 만세력이 나와있지만 이 책은 단순한 만세력이 아니라 완벽한 만세경전으로 만세력 보는 법 등을 실었기 때문에 처음 대하는 사람이라도 쉽게 볼 수 있도록 편집되었다. 또한 부록편에는 사주명리학, 신살종합해설, 결혼과 이사택일 및 이사방향, 길흉보는 법, 우주천기와 한국의 역사 등을 수록했다.

· 백우 김봉준 저

주역 · 토정비결

신비한 동양철학 40

토정비결의 놀라운 비결

지금 시중에 나와 있는 토정비결에 대한 책들을 보면 옛날부터 내려오는 완전한 비결이 아니라 반쪽의 책이다. 그러나 반쪽이라고 말하는 사람이 없다. 그것은 주역의 원리를 모르기 때문이다. 따라서 늦은 감이 없지 않으나 앞으로의 수많은 세월을 생각하면서 완전한 해설본을 내놓기로 했다.

· 원공선사 저

현장 지리풍수

신비한 동양철학 48

현장감을 살린 지리풍수법

풍수를 업으로 삼는 사람들이 진(眞)과 가(假)를 분별할 줄 모르면서 24산의 포태사묘의 법을 익히고는 많은 법을 알았다고 자부하며 뽐내고 있다. 그리고는 재물에 눈이 어두워 불길한 산을 길하다 하고, 선하지 못한 물(水)을 선하다 하면서 죄를 범하고 있다. 이는 분수 밖의 것을 망녕되게 바라기 때문이다. 마음 가짐을 바로하고 고대 원전에 공력을 바치면서 산간을 실사하며 적공을 쏟으면 정교롭고 세밀한 경지를 얻을 수 있을 것이다.

· 전항수 · 주관장 편저

완벽 사주와 관상

신비한 동양철학 55

사주와 관상의 핵심을 한 권에

자연과 인간, 음양(陰陽)오행과 인간, 사계와 절후, 인상(人相)과 자연, 신(神)들의 이야기 등등 우리들의 삶과 관계되는 사실적 관계로만 역(易)을 설명해 누구나 쉽게 이해할 수 있도록 썼으며 특히 역(易)에 대한 관심과 흥미를 갖게 하고자 인상학(人相學)을 추록했다. 여기에 추록된 인상학(人相學)은 시중에서 흔하게 볼 수 있는 상법(相法)이 아니라 생활상법(生活相法) 즉 삶의 지식과 상식을 드리고자 했으니 생활에 유익함이 있기를 바란다.

· 김봉준 · 유오준 공저

193

해몽 · 해몽법

신비한 동양철학 50

해몽법을 알기 쉽게 설명한 책

인생은 꿈이 예지한 시간적 한계에서 점점 소멸되어 가는 현존물이기 때문에 반드시 꿈의 뜻을 따라야 한다. 이것은 꿈을 먹고 살아가는 인간 즉 태몽의 끝장면인 죽음을 향해 달려가고 있는 인간이기 때문이다. 꿈은 우리의 삶을 이끌어가는 이정표와도 같기에 똑바로 가도록 노력해야 한다.

· 김종일 저

역점

신비한 동양철학 57

우리나라 전통 행운찾기

주역을 무조건 미신으로 치부해버리는 생각은 버려야 한다. 주역이 점치는 책에만 불과했다면 벌써 그 존재가 없어졌을 것이다. 그러나 오랫동안 많은 학자가 연구를 계속해왔고, 그 속에서 자연과학과 형이상학적인 우주론과 인생론을 밝혀, 정치 · 경제 · 사회 등 여러 방면에서 인간의 생활에 응용해왔고, 삶의 지침서로써 그 역할을 했다. 이 책은 한 번만 읽으면 누구나 역점가가 될 수 있으니 생활에 도움이 되길 바란다.

· 문명상 편저

명리학연구

신비한 동양철학 59

체계적인 명확한 이론

이 책은 명리학 연구에 핵심적인 내용만을 모아 하나의 독립된 장을 만들었다. 명리학은 분야가 넓어 공부를 하다보면 주변에 머무르는 경우가 많아, 주요 내용을 잃고 헤매는 경우가 많다. 그러므로 뼈대를 잡는 것이 중요한데, 여기서는 「17장. 명리대요」에 핵심 내용만을 모아 학문의 체계를 잡는데 용이하게 하였다.

· 권중주 저

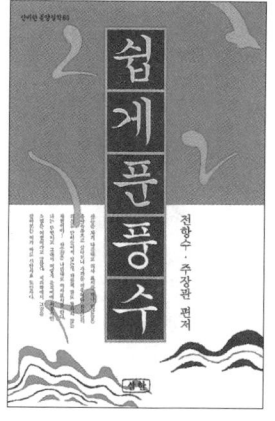

쉽게 푼 풍수

신비한 동양철학 60

현장에서 활용하는 풍수지리법

산도는 매우 광범위하고, 현장에서 알아보기 힘들다. 더구나 지금은 수목이 울창해 소조산 정상에 올라가도 나무에 가려 국세를 파악하는데 애를 먹는다. 그러므로 사진을 첨부하니 많은 도움이 되길 바란다. 물론 결록에 있고 산도가 눈에 익은 것은 혈 사진과 함께 소개하니 참고하기 바란다. 이 책을 열심히 정독하면서 답산하면 혈을 알아보고 용산도 할 수 있을 것이다.

· 전항수 · 주장관 편저

올바른 작명법

신비한 동양철학 61

세상의 부모들에게 가장 소중한 것이 무엇이냐고 물으면 누구든 자녀라고 할 것이다. 그런데 왜 평생을 좌우할 이름을 함부로 짓는가. 이름이 얼마나 소중한지를. 이름의 오행작용이 사람의 일생을 어떻게 좌우하는지를 모르기 때문이다. 세상만물은 음양오행의 영향을 받지 않는 것이 없다. 봄이 가면 여름이 오고, 여름이 가면 가을이 오고, 가을이 가면 겨울이 오고, 겨울이 가면 봄이 오는 것 또한 음양오행의 원리다.

• 이정재 저

신수대전

신비한 동양철학 62

흉함을 피하고 길함을 부르는 방법

신수를 보는 방법은 여러 가지가 있는데 대부분이 주역과 사주추명학에 근거를 둔다. 수많은 학설 중에서 몇 가지를 보면 사주명리, 자미두수, 관상, 점성학, 구성학, 육효, 토정비결, 매화역수, 대정수, 초씨역림, 황극책수, 하락리수, 범위수, 월영도, 현무발서, 철판신수, 육임신과, 기문둔갑, 태을신수 등이다. 역학에 정통한 고사가 아니면 제대로 추단하기 어려운데 엉터리 술사들이 넘쳐난다. 그래서 누구나 자신의 신수를 볼 수 있도록 몇 가지를 정리했다.

• 도관 박흥식

음택양택
신비한 동양철학 63
현세의 운·내세의 운
이 책에서는 음양택명당의 조건이나 기타 여러 가지를 설명하여 산 자와 죽은 자의 행복한 집을 만들 수 있도록 했다. 특히 죽은 자의 집인 음택명당은 자리를 옳게 잡으면 꾸준히 생기를 발하여 흥하나, 그렇지 않으면 큰 피해를 당하니 돈보다도 행·불행의 근원인 음양택 명당에 관심을 기울여야 한다.

· 전항수 · 주장관 지음

이런 집에 살아야 잘 풀린다
신비한 동양철학 64
운이 트이는 좋은 집 알아보는 비결
힘든 상황에서 내 가족이 지혜롭게 대처하고 건강을 지켜주는, 한마디로 운이 트이는 집은 모두의 꿈일 것이다. 가족이 평온하게 생활할 수 있는 집, 나가서는 발전을 가져다 줄 수 있는 그런 집이 있다면 얼마나 좋을까? 그런 소망에 한 걸음이라도 가까워지려면 막연하게 운만 기대해서는 안 된다. '호랑이를 잡으려면 호랑이 굴로 들어가라'는 속담이 있듯이 좋은 집을 가지려면 그만한 노력이 있어야 한다.

· 강현술 · 박흥식 감수

197

사주에 모든 길이 있다

신비한 동양철학 65

사주를 간명하는데 조금이라도 도움이 되었으면 하는 바람에서 이 책을 쓰게 되었다. 간명의 근간인 오행의 왕쇠강약을 세분해서 설명했다. 그리고 대운과 세운, 세운과 월운의 연관성과, 십신과 여러 살이 운명에 미치는 암시와, 십이운성으로 세운을 판단하는 방법을 설명했다.

· 정담 선사 편저

사주학

신비한 동양철학 66

5대 원서의 핵심과 실용

이 책은 사주학을 체계적으로 공부하려는 학도들을 위해 꼭 알아야 할 내용과 용어를 수록하는데 중점을 두었다. 이 학문을 공부하려고 찾아온 사람들에게 여러 가지 질문을 던져보면 거의 기초지식이 시원치 않다. 그런 상태로 사주를 읽으려니 제대로 될 리가 없다. 이 책으로 용어와 제반지식을 터득하면 빠른 시일에 소기의 목적을 이룰 수 있을 것이다.

· 글갈 정대엽 저

주역 기본원리

신비한 동양철학 67

주역의 기본원리를 통달할 수 있는 책

이 책에서는 기본괘와 변화와 기본괘가 어떤 괘로 변했을 경우 일어날 수 있는 내용들을 설명하여 주역의 변화에 대한 이해를 돕는데 주력하였다. 그러나 그런 내용을 구분할 수 있는 방법을 전부 다 설명할 수는 없기에 뒷장에 간단하게설명하였고, 다른 책들과 설명의 차이점도 기록하였으니 참작하여 본다면 조금이나마 도움이 될 것이다.

· 원공선사 편저

사주특강

신비한 동양철학 68

자평진전과 적천수의 재해석

이 책은 『자평진전(子平眞詮)』과 『적천수(滴天髓)』를 근간으로 명리학(命理學)의 폭넓은 가치를 인식하고, 실전에서 유용한 기반을 다지는데 중점을 두고 썼다. 일찍이 『자평진전(子平眞詮)』을 교과서로 삼고, 『적천수(滴天髓)』로 보완하라는 서낙오(徐樂吾)의 말에 깊이 공감한다.

청월 박상의 편저

199

복을 부르는방법

신비한 동양철학 69

나쁜 운을 좋은 운으로 바꾸는 비결

개운하는 방법은 여러 가지가 있으나, 이 책의 비법은 축원문을 독송하는 것이다. 독송이란 소리내 읽는다는 뜻이다. 사람의 말에는 기운이 있는데, 이 기운은 자신에게 돌아온다. 좋은 말을 하면 좋은 기운이 돌아오고, 나쁜 말을 하면 나쁜 기운이 돌아온다. 이 책은 누구나 어디서나 쉽게 비용을 들이지 않고 좋은 운을 부를 수 있는 방법을 실었다.

· 역산 김찬동 편지

인터뷰 사주학

신비한 동양철학 70

쉽고 재미있는 인터뷰 사주학

얼마전까지만 해도 사주학을 취급하는 사람들은 미신을 다루는 부류로 취급되었다. 그러나 지금은 하루가 다르게 이 학문을 공부하는 사람들이 폭증하고 있는 것으로 보인다. 젊은 층에서 사주카페니 사주방이니 사주동아리니 하는 것들이 만들어지고 그 모임이 활발하게 움직이고 있다는 점이 그것을 증명해준다. 그뿐 아니라 대학원에는 역학교수들이 점차로 증가하고 있다.

· 글갈 정대엽 편저

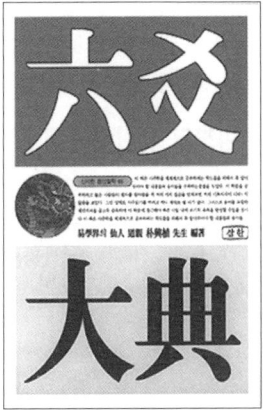

육효대전

신비한 동양철학 37

정확한 해설과 다양한 활용법

동양의 고전 중에서도 가장 대표적인 것이 주역이다. 주역은 옛사람들이 자연의 법칙을 거울삼아 인간이 생활을 영위해 나가는 처세에 관한 지혜를 무한히 내포하고, 피흉추길하는 얼과 슬기가 함축된 점서)인 동시에 수양·과학서요 철학·종교서라고 할 수 있다.

·도관 박홍식 편저

사람을 보는 지혜

신비한 동양철학 73

관상학의 초보에서 완성까지

현자는 하늘이 준 명을 알고 있기에 부귀에 연연하지 않는다. 사람은 마음을 다스리는 심명이 있다. 마음의 명은 자신만이 소통하는 유일한 우주의 무형의 에너지이기 때문에 잠시도 잊으면 안된다. 관상학은 사람의 상으로 이런 마음을 살피는 학문이니 잘 이해하여 보다 나은 삶을 삶을 영위할 수 있도록 노력해야 한다.

·이부길 편저

동양철학전문출판 삼한

명리학 | 재미있는 우리사주

신비한 동양철학 74

사주 세우는 방법부터 용어해설 까지!!

몇 년 전『사주에 모든 길이 있다』가 나온 후 선배 제현들께서 알찬 내용의 책다운 책을 접했다면서 매월 한 번만이라도 참 역학의 발전을 위하여 학술세미나를 열자는 제의를 받았다. 그러나 사주의 작성법을 설명하지 않아 독자들에게 많은 질타를 받고 뒤늦게 이 책을 출판하기로 결심했다. 이 책은 한글만 알면 누구나 역학과 가까워질 수 있도록 사주 세우는 방법부터 실제 간명, 용어해설에 이르기까지 분야별로 엮었다.

· 정담 선사 편저

성명학 | 바로 이 이름

신비한 동양철학 75

사주의 운기와 조화를 고려한 이름짓기

사람은 누구나 타고난 운명, 즉 숙명이라는 것이 있다. 숙명인 사주팔자는 선천운이고, 성명은 후천운이 되는 것으로 이름을 지을 때는 타고난 운기와의 조화를 고려함이 중요하다. 따라서 역학에 대한 깊은 이해가 선행되어야 함은 지극히 당연한 일이다. 부연하면 작명의 근본은 타고난 사주에 운기를 종합적으로 분석하여 부족한 점을 보강하고 결점을 개선한다는 큰 뜻이 있다고 할 수 있다.

· 정담 선사 편저

운을 잡으세요 | 개운비법
신비한 동양철학 76

염력강화로 삶의 문제를 해결한다!

염력(念力)이 강한 사람은 운명을 개척하며 행복하게 살고, 염력이 약한 사람은 운명의 노예가 되어 불행하게 살아간다. 때문에 행복과 불행은 누가 주는 것이 아니라 자기 자신이 만든다고 할 수 있다. 한 마디로 말해 의지의 힘, 즉 염력이 운명을 바꾸는 것이다. 이 책에서는 이러한 염력을 강화시켜 삶에서 일어나는 문제를 해결하는 방법을 알려준다. 누구나 가벼운 마음으로 읽고 실천한다면 반드시 목적을 이룰 수 있을 것이다.

· 역산 김찬동 편저

작명정론
신비한 동양철학 77

이름으로 보는 역대 대통령이 나오는 이치

사주팔자가 네 기둥으로 세워진 집이라면 이름은 그 집을 대표하는 문패라고 할 수 있다. 사람은 태어나면서 사주를 통해 운을 타고나고 이름이 주어진 순간부터 명(命)이 작용한다. 사주와 이름이 곧 운명을 결정한다는 것이다. 따라서 이름을 지을 때는 사주의 격에 맞추어야 한다. 사주 그릇이 작은 사람이 원대한 뜻의 이름을 쓰면 감당하지 못할 시련을 자초하게 되고 오히려 이름값을 못할 수 있다. 즉 분수에 맞는 이름으로 작명해야 하기 때문에 사주의 올바른 분석이 필요하다.

· 청월 박상의 편저

원심수기 통증예방 관리비법

신비한 동양철학 78

쉽게 배워 적용할 수 있는 통증관리법

이 책을 세상에 내놓는 것은 우리 전통 민중의술도 세상의 그 어떤 의술에 못지 않게 아주 훌륭한 치료술이 있고 그 전통이 수백 년, 또는 수천 년을 내려오면서 전지고 있는데 현재 사회를 보면 무조건 외국에서 들어온 것만이 최고라고 하는 식으로 하여 우리의 전통 민중의술을 뿌리째 버리려고 하는데 문제가 있는 것 같기에 우리것을 지키고자 하는데 그 첫째의 목적이 있다 할 수 있을 것이다.

· 원공 선사 저

사주비기

신비한 동양철학 79

역학으로 보는 대통령이 나오는 이치!!

이 책에서는 고서의 이론을 근간으로 하여 근대의 사주들을 임상하여, 적중도에 의구심이 가는 이론들은 과감하게 탈피하고 통용될 수 있는 이론만을 수용했다. 따라서 기존 역학서의 아쉬운 부분들을 충족시키며 일반인도 열정만 있으면 누구나 자신의 운명을 감정하고 피흉취길할 수 있는 생활지침서로 활용할 수 있을 것이다.

청월 박상의 편저

찾기 쉬운 명당

신비한 동양철학 44

풍수지리의 모든 것 !

이 책은 가능하면 쉽게 풀려고 노력했고, 실전에 도움이 되도록 했다. 특히 풍수지리에서 방향측정에 필수인 패철(佩鐵)사용과 나경(羅經) 9층을 각 층별로 간추려 설명했다. 그리고 이 책에 수록된 도설, 즉 오성도, 명산도, 명당 형세도 내거수 명당도, 지각(枝脚)형세도, 용의 과협출맥도, 사대혈형(穴形) 와겸유돌(窩鉗乳突) 형세도 등은 국립중앙도서관에 소장된 문헌자료인 만산도단, 만산영도, 이석당 은민산도의 원본을 참조했다.

· 호산 윤재우 저

명리입문

신비한 동양철학 41

명리학의 필독서 !

이 책은 자연의 기후변화에 의한 운명법 외에 명리학도들이 궁금해 했던 인생의 제반사들에 대해서도 상세하게 기술했다. 따라서 초보자부터 심도있게 공부한 사람들까지 세심히 읽고 숙독해야 하는 책이다. 특히 격국이나 용신뿐 아니라 십신에 대한 자세한 설명, 조후용신에 대한 보충설명, 인간의 제반사에 대해서는 독보적인 해설이 들어 있다. 초보자들에게는 더할 수 없이 훌륭한 길잡이가 될 것이다.

· 동하 정지호 편역

동양철학전문출판 삼한

육효점 정론

신비한 동양철학 80

육효학의 정수!

이 책은 주역의 원전소개와 상수역법의 꽃으로 발전한 경방학을 같이 실어 독자들의 호기심을 충족시키는데 중점을 두었습니다. 주역의 원전으로 인화의 처세술을 터득하고, 어떤 사안의 답은 육효법을 탐독하여 찾으시기 바랍니다.

· 효명 최인영 편역

작명 백과사전

신비한 동양철학 81

36가지 이름짓는 방법과 선후천 역상법 수록

이름은 나를 대표하는 생명체이므로 몸은 세상을 떠날지라도 영원히 남는다. 성명운의 유도력은 후천적으로 가공 인수되는 후존적 수기로써 조성 운화되는 작용력이 있다. 선천수기의 운기력이 50%이면 후천수기도의 운기력도50%이다. 이와 같이 성명운의 작용은 운로에 불가결한조건일 뿐 아니라, 선천명운의 범위에서 기능을 충분히 할 수 있다.

· 임삼업 편저 | 송충석 감수

사주대성

신비한 동양철학 33

초보에서 완성까지

이 책은 과거 현재 미래를 모두 알 수 있는 비결을 실었다. 그러나 모두 터득한다는 것은 어려울 것이다.역학은 수천 년간 동방의 석학들에 의해 갈고 닦은 철학이요 학문이며, 정신문화로서 영과학적인 상수문화로서 자랑할만한 위대한 학문이다.

· 도관 박흥식 저

해몽정본

신비한 동양철학 36

꿈의 모든 것 !

막상 꿈해몽을 하려고 하면 내가 꾼 꿈을 어디다 대입시켜야 할지 모를 경우가 많았을 것이다. 그러나 이 책은 찾기 쉽고, 명료하며, 최대한으로 많은 갖가지 예를 들었으니 꿈해몽을 하는데 어려움이 없을 것이다.

· 청암 박재현 저

적천수 정설

신비한 동양철학 82

적천수 원문을 쉽고 자세하게 해설

적천수(滴天髓)는 명나라 개국공신인 유백온(劉伯溫) 선생이 처음으로 저술한 후 여러 사람이 각각 자신의 주장을 내세워 해설하여 오늘날에는 많은 분량이 되었다. 그러나 원래 유백온(劉伯溫) 선생이 저술한 적천수(滴天髓)의 원문은 내용이 그렇게 많지가 않다. 저자는 적천수(滴天髓) 원문을 보고 30년 역학(易學)의 경험을 총동원하여 감히 해설해 보았다.

· 역산 김찬동 편역

궁통보감 정설

신비한 동양철학 83

궁통보감 원문을 쉽고 자세하게 해설

『궁통보감(窮通寶鑑)』은 5대원서 중에서 가장 이론적이며 사리에 맞는 책이라고 생각한다. 이 책은 조후(調候)를 중심으로 설명하며 간명한 것이 특징이다. 역학을 공부하는 학도들에게 도움을 주려고 먼저 원문에 음독을 단 다음 해설하였다. 그리고 예문은 서낙오(徐樂吾) 선생이 해설한 것을 그대로 번역하였고, 저자가 상담한 사람들의 사주와 점서에 있는 사주들을 실었다.

· 역산 김찬동 편역

왕초보 내 사주

신비한 동양철학 84

초보 입문용 역학서

이 책은 역학을 너무 어렵게 생각하는 초보자들에게 조금이나마 도움을 주고자 쉽게 엮으려고 노력했다. 이 책을 숙지한 후 역학(易學)의 5대 원서인 『적천수(滴天髓)』, 『궁통보감(窮通寶鑑)』, 『명리정종(命理正宗)』, 『연해자평(淵海子平)』, 『삼명통회(三命通會)』에 접근한다면 훨씬 쉽게 터득할 수 있을 것이다. 이 책들은 저자가 이미 편역하여 삼한출판사에서 출간한 것도 있고, 앞으로 모두 갖출 것이니 많이 활용하기 바란다.

· 역산 김찬동 편저

스스로 공부하게 하는 방법과 천부적 적성

신비한 동양철학 85

내 아이를 성공시키고 싶은 부모들에게

자녀를 성공시키고 싶은 마음은 부자나 가난한 사람이나 모두 같을 것이다. 그러나 가난한 부모를 둔 아이들은 공부할 수 있는 환경이 열악하다. 빈익빈 부익부 현상이 배우는 아이들 때부터 시작되기 때문이다. 그러니 가난한 집 아이가 좋은 성적을 내기는 매우 어렵고, 원하는 학교에 들어가기도 어렵다. 그러나 실망하기에는 아직 이르다. 내 아이가 훌륭한 인재로 성장해 아름답고 멋진 삶을 살아가는 방법이 이 책에 있다.

· 청암 박재현 지음

음파메세지(氣) 성명학

신비한 동양철학 51

새로운 시대에 맞는 새로운 성명학

지금까지의 모든 성명학은 모순의 극치를 이루고 있다. 이제 새로운 시대에 맞는 음파메세지(氣) 성명학이 탄생했으니 차근차근 읽어보고 복을 계속 부르는 이름을 지어 사랑하는 자녀가 행복하고 아름다운 삶을 살아갈 수 있도록 하는데 도움이 되었으면 한다.

• 청암 박재현 저

정법사주

신비한 동양철학 49

독학과 강의용 겸용의 책

이 책은 사주추명학을 연구하고자 하는 분들에게 심오한 주역의 이해를 돕고자 하는 의도에서 시작되었다. 음양오행의 상생상극에서부터 육친법과 신살법을 기초로 하여 격국과 용신 그리고 유년판단법을 활용하여 운명판단에 첩경이 될 수 있도록 했고, 추리응용과 운명감정의 실례를 하나 하나 들어가면서 독학과 강의용 겸용으로 엮었다.

• 원각 김구현 저

기문둔갑 비급대성

신비한 동양철학 86

기문의 정수

기문둔갑은 천문지리 · 인사명리 · 법술병법 등에 영험한 술수로 예로부터 은밀하게 특권층에만 전승되었다. 그러나 아쉽게도 기문을 공부하려는 이들에게 도움이 될만한 책이 거의 없다. 필자는 이 점이 안타까워 천견박식함을 돌아보지 않고 감히 책을 내게 되었다. 한 권에 기문학을 다 표현할 수는 없지만 이 책을 사다리 삼아 저 높은 경지로 올라간다면 제갈공명과 같은 지혜를 발휘할 수 있을 것이다.

· 도관 박흥식 편저

아호연구

신비한 동양철학 87

여러 가지 작호법과 실예 모음

필자는 오래 전부터 작명을 연구했다. 그러나 시중에 나와 있는 책에는 대부분 아호에 관해서는 전혀 언급하지 않았다. 그래서 아호에 관심이 있어도 자료를 구하지 못하는 분들을 위해 이 책을 내게 되었다. 아호를 짓는 것은 그리 대단하거나 복잡하지 않으니 이 책을 처음부터 끝까지 착실히 공부한다면 누구나 좋은 아호를 지어 쓸 수 있을 것이라고 생각한다.

· 임삼업 편저

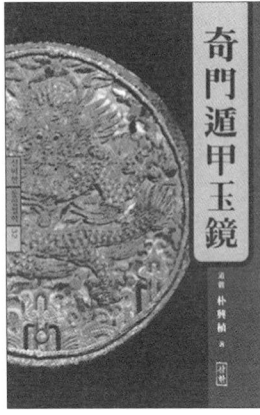

기문둔갑옥경

신비한 동양철학 32

가장 권위있고 우수한 학문 !

우리나라의 기문역사는 장구하지만 상세한 문헌은 전무한 상태라 이 책을 발간하기로 했다. 기문둔갑은 천문지리는 물론 인사명리 등 제반사에 관한 길흉을 판단함에 있어서 가장 우수한 학문이며 병법과 법술방면으로도 특징과 장점이 있다. 초학자는 포국편을 열심히 익혀 설국을 자유자재로 할 수 있도록 하고 개인의 이익보다는 보국안민에 일조하기 바란다.

· 도관 박흥식 저

정본·관상과 손금

신비한 동양철학 42

바로 알고 사람을 사귑시다

이 책은 관상과 손금은 인생을 행복으로 이끌기 위해 있다는 관점에서 다루었다. 그야말로 관상과 손금의 혁명이라고 할 수 있을 것이다. 여러분도 관상과 손금을 통한 예지력으로 인생의 참주인이 되기 바란다. 용기를 불어넣어 주고 행복을 찾게 하는 것이 참다운 관상과 손금술이다. 이 책으로 미래의 좋은 예지력을 한번쯤 발휘해 보기 바란다. 이 책이 일상사에 고민하는 분들에게 해결방법을 제시해 줄 것이다.

· 지창룡 감수